Matemáticas

sexto grado

Matemáticas. Sexto grado fue desarrollado por la Dirección General de Materiales Educativos (DGME), de la Subsecretaría de Educación Básica, Secretaría de Educación Pública.

Secretaría de Educación Pública
Alonso Lujambio Irazábal

Subsecretaría de Educación Básica
José Fernando González Sánchez

Dirección General de Materiales Educativos
María Edith Bernáldez Reyes

Coordinación técnico-pedagógica
María Cristina Martínez Mercado
Ana Lilia Romero Vázquez
Alexis González Dulzaides

Autores
Diana Karina Hernández Castro
Víctor Manuel García Montes
Elvia Perrusquía Máximo
Miguel Ángel León Hernández
Pilar Donají Castillo Alvarado
Jesús Manuel Hernández Soto
Christian Arredondo Díaz

Revisión técnico-pedagógica
Ángel Daniel Ávila Mujica, Margarita Soto Medina,
Abraham García Peña, Daniela Aseret Ortiz Martinez

Asesores
Lourdes Amaro Moreno,
Leticia María de los Ángeles González Arredondo,
Óscar Palacios Ceballos

Coordinación editorial
Dirección Editorial, DGME/SEP
Alejandro Portilla de Buen

Cuidado editorial
Edwin Rojas Gamboa
Citlali YAcapantli Servin Martinez

Producción editorial
Martín Aguilar Gallegos

Formación
Jéssica Berenice Géniz Ramírez, Abraham Menes Núñez,
María del Sagrario Ávila Marcial, Magali Gallegos Vázquez

Portada
Diseño de colección: Carlos Palleiro
Ilustración de portada: Rocío Padilla

Segunda edición, 2011

D.R. © Secretaría de Educación Pública, 2011
Argentina 28, Centro,
06020, México, D.F.

ISBN: 978-607-734-6

Impreso en México
DISTRIBUCIÓN GRATUITA-PROHIBIDA SU VENTA

Diseño y diagramación
Agustín Azuela de la Cueva
Elvia Leticia Gómez Rodríguez

Ilustración
Gloria Calderas, Alain Espinosa, Santiago Rosales, Maribel Suárez,
Rosario Valderrama, Felipe Ugalde, Enrique Martínez,
Maribel Suárez, Gloria Calderas

p. 61: paisaje natural, © Glow Images.
p. 122: dipirámide exagonal, estampado geométrico, fotografía
de Teresa Miró Martín y Elvira Cuesta Pérez, mosaico 3, 4, 6, 4,
ilustración de Antonio Ortega Moreno, Gobierno de España,
Ministerio de Educación, Instituto de Tecnologías Educativas,
Banco de Imágenes y Sonidos.
p. 170: obra artística, Gobierno de España, Ministerio de
Educación, Instituto de Tecnologías Educativas, Banco de
Imágenes y Sonidos.

Agradecimientos
La Secretaría de Educación Pública agradece a los más de 40 284
maestros y maestras, a las autoridades educativas de todo el país,
al Sindicato Nacional de Trabajadores de la Educación, a expertos
académicos, a los Coordinadores Estatales de Asesoría y Seguimiento para la Articulación de la Educación Básica, a los Coordinadores Estatales de Asesoría y Seguimiento para la Reforma de la
Educación Primaria, a monitores, asesores y docentes de escuelas
normales, por colaborar en la revisión de las diferentes versiones
de los libros de texto llevada a cabo durante las Jornadas Nacio-
nales y Estatales de Exploración de los Materiales Educativos y
las Reuniones Regionales, realizadas en 2008 y 2009. Así como a la
Dirección General de Educación Indígena y Dirección General de
Desarrollo de la Gestión e Innovación Educativa.

La SEP extiende un especial agradecimiento a la Organización
de Estados Iberoamericanos para la Educación, la Ciencia y la Cul-
tura (OEI) y al Centro de Investigación y de Estudios Avanzados del
Instituto Politécnico Nacional por su participación en el desarrollo de esta edición. Así como a la Dirección General de Desarrollo
Curricular de la Subsecretaría de Educación Básica por haber au-
torizado para este libro el uso de algunas propuestas e ideas de
materiales elaborados por ésta.

También se agradece el apoyo de las siguientes instituciones:
Universidad Nacional Autónoma de México, Centro de Educación
y Capacitación para el Desarrollo Sustentable de la Secretaría
del Medio Ambiente y Recursos Naturales, Sociedad Matemática
Mexicana, S. C., Secretaría del Trabajo y Previsión Social, Ministerio
de Educación de la República de Cuba. Asimismo, la Secretaría de
Educación Pública extiende su agradecimiento a todas aquellas
personas e instituciones que de manera directa e indirecta contri-
buyeron a la realización del presente libro de texto.

Presentación

La Secretaría de Educación Pública, en el marco de la Reforma Integral de la Educación Básica, plantea una propuesta integrada de libros de texto desde un nuevo enfoque que hace énfasis en la participación de los alumnos para el desarrollo de las competencias básicas para la vida y el trabajo. Este enfoque incorpora como apoyo Tecnologías de la Información y Comunicación (TIC), materiales y equipamientos audiovisuales e informáticos que, junto con las bibliotecas de aula y escolares, enriquecen el conocimiento en las escuelas mexicanas.

Después de varias etapas, en este ciclo se consolida la Reforma en los seis grados y, en consecuencia, se presenta esta propuesta completa de los nuevos libros de texto, que abarca la totalidad de las asignaturas en todos los grados. Este libro de texto incluye estrategias innovadoras para el trabajo escolar, demandando competencias docentes orientadas al aprovechamiento de distintas fuentes de información, el uso intensivo de la tecnología, la comprensión de las herramientas y de los lenguajes que niños y jóvenes utilizan en la sociedad del conocimiento. Al mismo tiempo, se busca que los estudiantes adquieran habilidades para aprender de manera autónoma, y que los padres de familia valoren y acompañen el cambio hacia la escuela mexicana del futuro.

Su elaboración es el resultado de una serie de acciones de colaboración, como la Alianza por la Calidad de la Educación, así como con múltiples actores entre los que destacan asociaciones de padres de familia, investigadores del campo de la educación, organismos evaluadores, maestros y expertos en diversas disciplinas. Todos han nutrido el contenido del libro desde distintas plataformas y a través de su experiencia. A ellos, la Secretaría de Educación Pública les extiende un sentido agradecimiento por el compromiso demostrado con cada niño residente en el territorio nacional y con aquellos que se encuentran fuera de él.

Secretaría de Educación Pública

Conoce tu libro

El aprendizaje que adquieras al trabajar con tu libro de Matemáticas te brindará herramientas para encontrar soluciones a diversos aspectos de tu vida cotidiana.

Tu libro de Matemáticas consta de cinco bloques. Cada uno te brinda herramientas, como el razonamiento y el pensamiento deductivo, por medio de las actividades que se proponen en cada lección. También favorece la interpretación y análisis de la información con el fin de resolver situaciones matemáticas.

Cada bloque contiene:

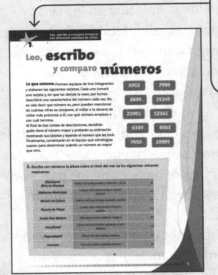

Lecciones

Con actividades que puedes llevar a cabo individualmente, en pareja, en equipo o con todo tu grupo.

Integro lo aprendido

Su objetivo es que apliques los conocimientos y habilidades que consolidaste durante todo el bloque en la resolución de las situaciones propuestas.

Autoevaluación

Su propósito es que valores los aprendizajes, tanto conocimientos como habilidades, que desarrollaste durante el bloque completando la tabla y analizando lo que tienes que seguir trabajando.

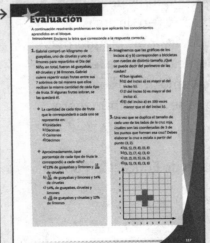

Evaluación

Se te presentarán tanto ejercicios como problemas en los que podrás elegir la respuesta correcta entre cuatro opciones y en algunos casos tendrás que escribir una respuesta breve.

A lo largo de la lección encontrarás:

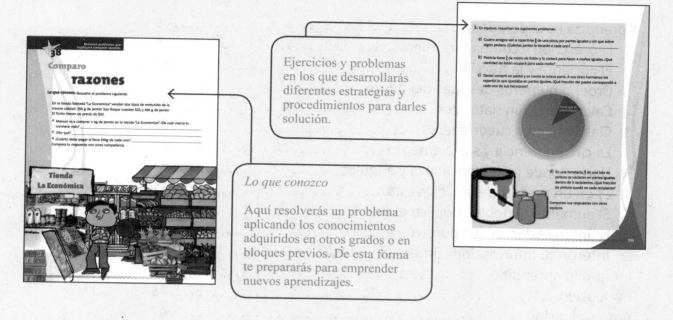

Ejercicios y problemas en los que desarrollarás diferentes estrategias y procedimientos para darles solución.

Lo que conozco

Aquí resolverás un problema aplicando los conocimientos adquiridos en otros grados o en bloques previos. De esta forma te prepararás para emprender nuevos aprendizajes.

En algunas lecciones identificarás las siguientes secciones:

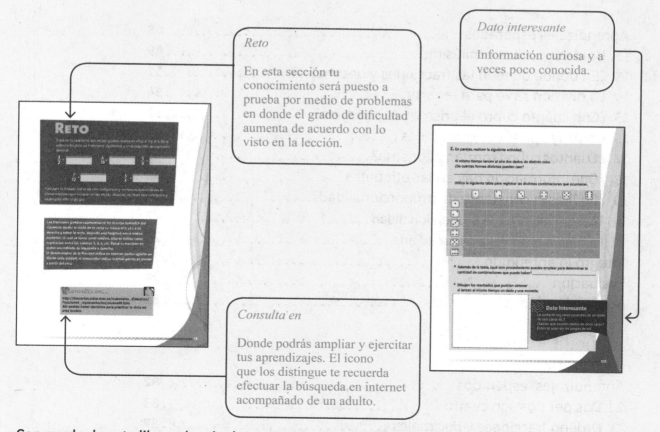

Reto

En esta sección tu conocimiento será puesto a prueba por medio de problemas en donde el grado de dificultad aumenta de acuerdo con lo visto en la lección.

Dato interesante

Información curiosa y a veces poco conocida.

Consulta en

Donde podrás ampliar y ejercitar tus aprendizajes. El icono que los distingue te recuerda efectuar la búsqueda en internet acompañado de un adulto.

Con ayuda de este libro además de acrecentar tus conocimientos desarrollarás habilidades matemáticas de gran utilidad.

Índice

Bloque IV

Bloque V

Bloque1

Aprendizajes esperados

- Utiliza distintos métodos para realizar operaciones con números naturales.
- Usa fracciones para representar cocientes.
- Interpreta la información presentada en tablas y gráficos para resolver problemas.
- Traza círculos, circunferencias y algunos de sus elementos (diámetro, centro, radio) para resolver problemas.
- Conoce las características de los cuadriláteros.
- Traza y conoce los nombres de distintas rectas y ángulos.
- Resuelve problemas que impliquen describir rutas o calcular distancias en un mapa o en un croquis.

1

Leo, escribo
y comparo números

Lo que conozco. Formen equipos de tres integrantes y elaboren las siguientes tarjetas. Cada uno tomará una tarjeta y, sin que los demás la vean, por turnos describirá una característica del número cada vez. No se vale decir que número es, pero pueden mencionar de cuántas cifras se compone, el millar o la decena de millar más próximos a él, con qué número empieza o con cuál termina.

Al final de tres rondas de descripciones, decidirán quién tiene el número mayor y probarán su estimación mostrando sus tarjetas y leyendo el número que les tocó. Finalmente, comentarán en el equipo qué estrategias usaron para determinar cuándo un número es mayor que otro.

8953	7999
8899	21349
22001	12345
6100	6083
7050	10989

1. Escribe con números la altura sobre el nivel del mar de los siguientes volcanes mexicanos:

Citlaltépetl (Pico de Orizaba)	Cinco mil setecientos cuarenta y siete	m
Malintzin (Malinche)	Cuatro mil cuatrocientos veinte metros	m
Nevado de Colima	Cuatro mil doscientos sesenta metros	m
Nevado de Toluca	Cuatro mil seiscientos ochenta metros	m
Tuxtla (San Martín)	Mil seiscientos ochenta metros	m
Iztaccíhuatl	Cinco mil doscientos ochenta y seis metros	m
Popocatépetl	Cinco mil quinientos metros	m
Paricutín	Tres mil ciento setenta metros	m

❖ ¿Cuál de estos volcanes es el más alto? _____

❖ ¿Cuál, el de menor altura? _____

❖ ¿De cuántos metros es la diferencia entre el más alto y el de menor altura? _____

Compara con un compañero tus estrategias para encontrar los resultados

Dato interesante

El sistema volcánico que se localiza en el paralelo 19 y que cruza Colima, Michoacán, Estado de México, Distrito Federal, Puebla, Tlaxcala y Veracruz es el de mayor actividad volcánica en México.

2. Escribe con letra los diámetros de los planetas del Sistema Solar.

Mercurio: 4 880 km _____
Venus: 12 104 km _____
Tierra: 12 756 km _____
Marte: 6 794 km _____
Júpiter: 142 984 km _____
Saturno: 120 536 km _____
Urano: 51 118 km _____
Neptuno: 49 528 km _____

❖ ¿Qué planeta tiene el mayor diámetro? _____

❖ ¿Qué planeta tiene el diámetro más aproximado al de la Tierra? _____

Compara tus resultados con un compañero.

3. En equipos, completen la siguiente tabla, con la condición de usar en cada caso todas las cifras permitidas.

Número a aproximar	Cifras permitidas	Número menor que más se aproxima	Número mayor que más se aproxima
89 099	9, 0, 1, 7, 6	79 610	90 167
500 000	7, 9, 1, 6, 8, 3		
9 000 001	9, 7, 8, 9, 8, 0, 9		
1 146 003	6, 1, 5, 1, 3, 2, 9		
426 679 034	1, 2, 1, 9, 6, 7, 5, 0, 8		
459 549 945	4, 4, 4, 5, 5, 5, 9, 9, 9		

Si quisieras explicarle a un compañero cómo resolver el ejercicio, ¿qué le dirías? Comparen todas las respuestas. En caso de que sea necesario, modifiquen sus respuestas.

Para leer y escribir números de cualquier cantidad de cifras es conveniente separarlos en grupos de tres dígitos, por ejemplo:

15 875 692   6 544 168 692 006   32 238 025 450 123

Billones			Millares de millón			Millones			Millares			Unidades		
C	D	U	C	D	U	C	D	U	C	D	U	C	D	U
							1	5	8	7	5	6	9	2
		6	5	4	4	1	6	8	6	9	2	0	0	6
	3	2	2	3	8	0	2	5	4	5	0	1	2	3

• Unidades (U) • Decenas (D) • Centenas (C)

Los números se leen:

Quince millones ochocientos setenta y cinco mil seiscientos noventa y dos.

Seis billones quinientos cuarenta y cuatro mil ciento sesenta y ocho millones seiscientos noventa y dos mil seis.

Treinta y dos billones doscientos treinta y ocho mil veinticinco millones cuatrocientos cincuenta mil ciento veintitrés.

Consulta en...

http://www.thatquiz.org/es/previewtest?NHFA2750
En esta página podrás practicar la lectura y escritura de diferentes cantidades numéricas

Dato interesante

En Estados Unidos, los millares de millón se conocen como *billions*, mientras que en México, los billones son millones de millones.

2

El cociente y la fracción

Lo que conozco. Resuelve el problema siguiente.

La tía Juana compra cada domingo 8 manzanas que reparte de manera equitativa entre los sobrinos que la visitan. El penúltimo domingo la visitaron 5 sobrinos, y el último sólo fueron 4.

❖ ¿Qué fracción de las manzanas le tocó a cada sobrino el penúltimo domingo? _____

❖ ¿Qué fracción, el último? _____

❖ ¿Qué es una fracción? _____

❖ ¿Para qué sirve? _____

❖ Además de en este libro, ¿dónde más las has visto o escuchado? _____

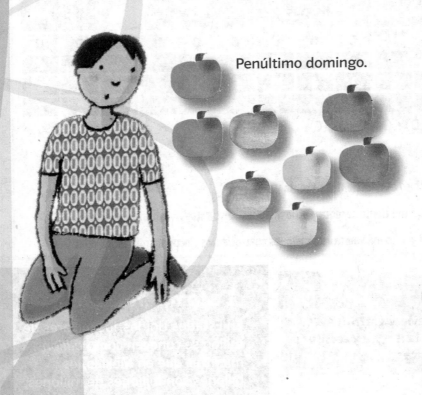

Penúltimo domingo.

Último domingo.

1. En equipos, completen las tablas siguientes. Todas las manzanas se reparten de manera equitativa, sin que sobre alguna.

Equipo	Cantidad de manzanas	Cantidad de niños	¿Cuánto le corresponde a cada niño?
A	1	5	
B	2	5	
C	3	5	
D	4	5	
E	5	5	

❖ ¿En qué equipo le correspondieron más manzanas a cada niño?
_____

❖ ¿En qué equipo le correspondieron menos manzanas a cada niño?
_____

❖ ¿En qué columna encuentras el numerador (dividendo)?
_____

Equipo	Cantidad de manzanas	Cantidad de niños	¿Cuánto le corresponde a cada niño?
F	7	3	
G	7	4	
H	7	5	
I	7	6	
J	7	7	

❖ ¿En qué equipo le correspondieron más manzanas a cada niño?
_____

❖ ¿En qué equipo le correspondieron menos manzanas a cada niño?
_____

❖ ¿En qué columna encuentras el denominador (divisor)?
_____

2. En equipos, completen la tabla siguiente, en la que se indica la forma en que avanzan los robots.

Robot	Avanza estas unidades	Al dar este número de pasos	Fracción que avanza al dar un paso
Alfa 3	1	5	
Beta 5	4	10	
Gamma 7	5	2	
Delta 11	3	3	
Epsilon 13	8	12	
Zeta 17	9	15	
Eta 19	6	10	

❖ ¿Qué robot avanza más unidades por cada paso? _____

❖ ¿Qué robot avanza menos por cada paso? _____

❖ ¿Cuántos pasos debe dar el robot Alfa 3 para recorrer lo que avanzó el robot Gamma 7 con dos pasos? _____

❖ ¿Cuántos pasos debe dar el robot Eta 19 para recorrer lo que avanzó el robot Beta 5 con seis pasos? _____

❖ ¿Cuántos pasos debe dar el robot Zeta 17 para recorrer lo que avanzó el robot Delta 11 con tres pasos? _____

❖ ¿Cuántos pasos debe dar el robot Beta 5 para recorrer lo que avanzó el robot Epsilon 13 con tres pasos? _____

Verifiquen los resultados y compárenlos.

Las fracciones son números que sirven para expresar cantidades que no necesariamente son enteras. Por ejemplo, al repartir 3 chocolates (dividendo o numerador) entre 5 niños (divisor o denominador), a cada uno le corresponden $\frac{3}{5}$ de chocolate; o si se reparten 4 chocolates entre 2 niños a cada uno le corresponde $\frac{4}{2}$ de chocolate, que es igual a 2 chocolates.

RETO

En equipos, comparen los rectángulos y contesten las preguntas.

¿Cuántos rectángulos amarillos caben en el azul? _____

¿Cuántos rectángulos azules caben en el rosa? _____

¿Qué fracción del rectángulo verde es el rectángulo amarillo? _____

¿Qué fracción del rectángulo rojo es el azul? _____

¿Qué fracción del rectángulo rosa es el rojo? _____

3

Ordeno **números** después del **punto**

Lo que conozco. Ordena de menor a mayor las siguientes medidas: 1.5 metros; 1.05 metros; 1.50 metros; 1.465 metros. _____

❖ ¿Cambiará el orden si se agrega un cero a la derecha de cada medida? _____ ¿Por qué? _____

❖ ¿Y a la izquierda? _____ ¿Por qué?_____

❖ Escribe una medida mayor que 1.50 metros, pero menor que 1.51 metros. _____

---

1. En tu cuaderno traza con una escuadra un cuadrado de 10 cm por lado, y marca el contorno con color azul.

❖ Si dividimos el cuadrado anterior en rectángulos de 1 cm x 10 cm, ¿cuántos rectángulos habrá en el cuadrado?_____

❖ Escribe con número la fracción de la parte que representa uno de los rectángulos con respecto al cuadrado _____

❖ Escribe con letra cómo se lee esa fracción _____

❖ Si dividimos el cuadrado en cuadros de 1 cm x 1 cm, ¿cuántos cuadros habrá? _____

❖ Escribe con una fracción la parte que representa uno de los cuadros de 1 cm x 1 cm con respecto al cuadrado azul _____

❖ Escribe con letra cómo se lee esa fracción _____

❖ Para que el cuadrado azul quede dividido en 1 000 partes iguales, ¿en cuántas partes debe quedar dividido cada cuadro de 1 cm x 1 cm? _____

❖ Escribe con una fracción la parte que representaría una de las 1 000 divisiones con respecto al cuadrado azul _____

❖ Escribe con letra cómo se lee esa fracción _____

❖ ¿Qué es más grande, un décimo o un centésimo? _____

❖ ¿Qué es más pequeño, un centésimo o un milésimo? _____

❖ ¿Qué es mayor, dos décimos, diecisiete centésimos o ciento ochenta y cinco milésimos? _____

2. En equipos de tres alumnos tomen sus cuadros azules, divídanlos en cuadritos de 1 cm por lado, coloreen 25 cuadritos; en otro, 23 y en el tercero coloreen tres rectángulos de 1 cm x 10 cm.

❖ ¿En cuál de los cuadrados colorearon más cuadritos de 1 cm por lado? _____

3. En equipos, marquen en cada recta numérica de manera aproximada dónde se ubican los siguientes números decimales:

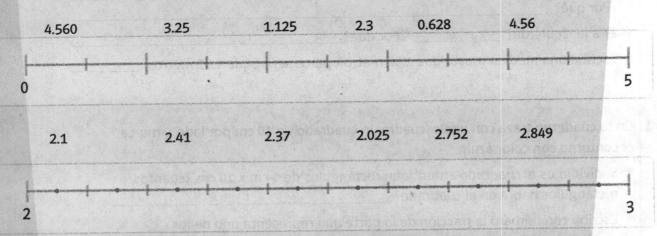

4.560   3.25   1.125   2.3   0.628   4.56

0   5

2.1   2.41   2.37   2.025   2.752   2.849

2   3

4. En parejas, lleven a cabo esta actividad. Necesitarán la tabla de la página siguiente y un dado. Designen quiénes serán los jugadores 1 y 2. Después escriban sus nombres en las columnas correspondientes.

Observen en la tabla que hay un cero y un punto, seguido de uno, dos o tres espacios. Lancen el dado; cuenten puntos, represéntenlos con números y tomando en cuenta los espacios que haya, formen el mayor número decimal posible anotando los números que lo integran en los espacios. Por ejemplo: si hay dos espacios el jugador lanza dos veces el dado, si en los dados sale 1 y 4, el niño escribe 0.14. Si sólo hay un espacio, lanza una vez el dado y escribirá el número que salga en dicho espacio.

Después de que los dos jugadores hayan anotado el número obtenido, los compararán. Quien haya escrito el número mayor gana la jugada y anotará su nombre en la tercera columna.

Jugada	Primer jugador Nombre: _____	Segundo jugador Nombre: _____	Ganador de la jugada
1	0.___ ___ ___	0.___ ___	
2	0.___ ___	0.___ ___ ___	
3	0.___ ___ . ___	0.___	
4	0.___ ___	0.___ ___ ___	
5	0.___	0.___ ___	
6	0.___ ___	0.___	

Un **décimo** es cada una de las diez partes iguales en que se divide un todo y se puede representar por medio de una fracción donde el numerador es 1 y el denominador es 10. Si el denominador es 100 representa un **centésimo** y si es 1 000 representa un **milésimo**, y así sucesivamente.
A continuación se muestra cómo se escriben y se leen algunos números decimales y su equivalente en fracción.

Número decimal	Fracción decimal	Se lee
0.1	$\frac{1}{10}$	Un décimo
0.01	$\frac{1}{100}$	Un centésimo
0.001	$\frac{1}{1000}$	Un milésimo
0.0001	$\frac{1}{10000}$	Un diezmilésimo
0.00001	$\frac{1}{100000}$	Un cienmilésimo
0.000001	$\frac{1}{1000000}$	Un millonésimo

5. Completa la tabla.

Número	Enteros	Décimos	Centésimos	Milésimos	Diezmilésimos
1.8458	1		4		
3.4820					0
0.9321			3		
3.05	3				
	1	8	4	5	3
6.005			9		
0.9000	0				

RETO

En una carrera se registraron los tiempos de 6 corredoras, hasta milésimas de segundo:

Patricia   10.12 segundos
Carolina   10.24 segundos
Corina   10.125 segundos
Katia   10.23 segundos
Diana   Hizo más tiempo que Katia, pero menos que Carolina
Margarita   Hizo más tiempo que Patricia, pero menos que Corina

Cuáles pudieron ser los tiempos de:

Diana _____

Margarita _____

Ordena a las corredoras dependiendo del lugar en que terminaron la carrera.

1.er lugar: _____
2.º lugar: _____
3.er lugar: _____
4.º lugar: _____
5.º lugar: _____
6.º lugar: _____

¿Qué consideraste para ordenar a las corredoras?
_____

4
Calculemos con naturales

Lo que conozco. Calcula mentalmente.

❖ Elige la pareja de números cuya suma es la mitad de mil:

181   **328**   **263**   **319**   **182**   **257**

❖ Escoge la pareja de números cuya suma sea el doble de mil:

599   **495**   **597**   **1 205**   **1 501**   **1 403**

❖ Selecciona la pareja de números cuyo producto sea el triple de mil:

35   **14**   **50**   **605**   **502**   **60**

❖ Elige la pareja de números cuyo cociente sea la quinta parte de mil:

500   **2 000**   **800**   **2**   **4**   **5**

❖ Al concluir, verifica tus resultados.

❖ ¿Qué hiciste para resolver el ejercicio? _____
_____
_____

1. Resuelve mentalmente los problemas siguientes. Comprueba después tus resultados usando la calculadora.

a) Si un barco mexicano carga en promedio 542 000 barriles de petróleo crudo por embarque, ¿cuántos barriles llevará en 4 embarques? _____

b) La zona de almacenamiento de Ku Maloob Zaap, en Campeche, tiene un flujo de 2.2 millones de barriles de petróleo crudo al mes. ¿Cuántos barriles fluyen en un año? _____

c) Si el barril de petróleo crudo se compró en abril de 2008 en 108 dólares, ¿cuánto se debió pagar por la compra de 542 000 barriles en este mismo mes? (Escribe tu respuesta en cientos de millones de dólares.)

_____

d) En México, una hectárea de terreno puede producir entre 2 y 12.6 toneladas de maíz al año, dependiendo del clima y de la calidad del suelo. El promedio nacional es de 7 toneladas por hectárea (ha). Expresa en kilogramos la producción promedio de 50 ha. ____

e) En 2007, la zona del sureste mexicano fue afectada por diversos huracanes. La producción de maíz se redujo a 2 toneladas por hectárea. ¿Cuánto se perdió en 70 ha, en comparación con la producción promedio? _____

f) Aspirar constantemente humo de cigarro aumenta el riesgo de contraer cáncer, enfisema pulmonar y problemas de circulación sanguínea.

Si la mitad de 2 099 estudiantes están expuestos al humo de cigarro en su hogar, ¿cuántos son los que están en riesgo de padecer algún problema de salud? _____

g) La Secretaría de Educación Pública informa que la Prueba Enlace 2008 en el nivel básico se aplicó a 10 697 296 alumnos pertenecientes a 121 378 planteles de primaria y secundaria, lo que representa una cobertura de aplicación de 99%.

❖ ¿Qué cantidad corresponde a 1% del total de exámenes aplicados? _____

❖ Si la cuarta parte de las escuelas pertenece al nivel secundaria, ¿cuántas escuelas de este nivel se evaluaron? _____

❖ ¿Cuántos planteles corresponden al nivel de educación primaria? _____

h) El continente americano tiene una extensión territorial de 42 044 000 km^2 y el continente antártico 14 000 000 km^2, ¿cuántos kilómetros cuadrados es más grande el continente americano que el antártico? _____

De manera grupal verifiquen sus respuestas.

2. En equipos, resuelvan los problemas. Utilicen el cálculo mental, operaciones en papel y lápiz o calculadora.

❖ En una papelería la fotocopia tamaño carta la cobran a 20 centavos y la de tamaño oficio a 25 centavos. Hugo hizo 240 copias tamaño carta y calculó que si por 5 copias se paga $1, debe dividirse 240 entre 5, que es lo mismo que dividir 240 entre 10 y multiplicar por 2.

Explica un procedimiento para calcular mentalmente lo que cuestan 140 copias tamaño oficio, en esa papelería. _____

_____

_____

_____

_____

Compara el procedimiento que seguiste, con el de tus compañeros. Calculen cuánto se debe pagar en los siguientes casos:

300 fotocopias tamaño oficio _____

78 fotocopias tamaño carta _____

67 fotocopias tamaño oficio _____

104 fotocopias tamaño carta _____

490 fotocopias tamaño carta _____

319 fotocopias tamaño oficio _____

❖ El politereftalato de etileno, conocido como PET, es un derivado del petróleo que se utiliza para producir envases de plástico. El PET también es un gran contaminante del ambiente, ya que tarda en degradarse entre 100 y 500 años, por eso es necesario reciclarlo. Se calcula que una botella vacía de 2 L pesa aproximadamente 83 g.

¿Cuánto pesan 10 botellas de PET de 2 L? _____

¿Cuánto pesarán 21 de ellas? _____

¿Cuál es el peso de 19 botellas? _____

Para reciclar y transportar las botellas se comprimen formando paquetes. ¿Cuánto pesa un paquete comprimido de 5 999 botellas de PET de 2 L? _____

¿Cuál de las preguntas anteriores resolvieron utilizando el cálculo mental, cuál con papel y lápiz, y cuál con calculadora?

_____

_____

Expliquen por qué _____

_____

_____

_____

_____

5
Clasifiquemos cuadriláteros

Lo que conozco. Observa el pizarrón, la puerta, uno de tus libros y una hoja de papel.

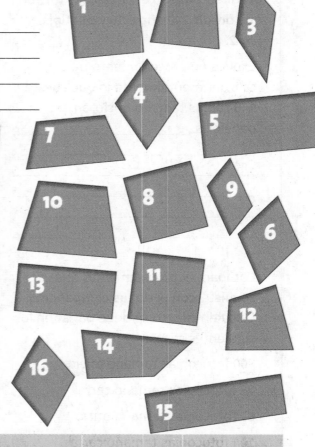

* ¿Cuántos lados tienen? _____
* ¿Cuántos ángulos tienen? _____
* ¿Cuántos vértices tienen? _____
* ¿Qué forma tienen? _____

1. En parejas, contesten lo que se pide.

Anota los números de las figuras donde corresponda:

Cuadrados _____

Rombos _____

Trapecios _____

Rectángulos_____

Romboides _____

Trapezoides _____

Cuadrilátero	Número de lados iguales	Número de pares de lados paralelos	Número de diagonales	Ejes de simetría	Número de ángulos iguales
Cuadrados					
Trapecios					
Rombos					
Rectángulos					
Romboides					
Trapezoides					

❖ ¿Qué cuadriláteros tienen sus cuatro lados iguales? _____

❖ ¿Qué cuadriláteros tienen un par de lados paralelos? _____

❖ ¿Los lados de un cuadrilátero deben tener siempre la misma longitud? _____

❖ ¿Los lados de un cuadrilátero pueden tener longitudes diferentes? _____

❖ ¿Cuántos pares de lados paralelos puede tener un cuadrilátero? _____

2. En equipos, contesten lo siguiente.

❖ Escriban el nombre de los paralelogramos que conozcan

_____
_____
_____

Comparen sus respuestas y verifiquen que sean efectivamente paralelogramos las figuras propuestas.

❖ Escriban las características de un cuadrado _____
_____

❖ Escriban las características de un rombo _____
_____

❖ ¿Qué características tienen en común? _____

❖ ¿Un cuadrado puede ser un rombo? _____
Explica por qué _____

❖ Escriban las características de un rectángulo _____
_____

❖ ¿Un rectángulo puede ser un cuadrado? _____
Explica por qué _____

❖ ¿Qué características tienen en común? _____
_____

Explica por qué _____
_____

Los cuadriláteros se clasifican en:

Paralelogramos (tienen dos pares de lados paralelos)	Trapecios (tienen sólo un par de lados paralelos)	Trapezoides (no tienen lados paralelos)
Cuadrado	Trapecio isósceles	Trapezoides
Rombo	Trapecio rectángulo	
Rectángulo	Trapecio escaleno	
Romboide		

Contesta las preguntas.

❖ ¿Cuántos paralelogramos tenemos registrados en la tabla y cuáles son sus nombres? _____

❖ ¿Un cuadrado puede ser un romboide? _____
Explica por qué _____

❖ ¿Un rectángulo puede ser un trapecio? _____
Explica por qué _____

Consulta en...

Indaga sobre las características de los cuadriláteros en un libro de geometría o en Internet en las siguientes páginas:
http://recursostic.educacion.es/descartes/web/materiales_didacticos/Los_cuadrilateros___fmi/cuadrilateros12a.htm
http://recursostic.educacion.es/descartes/web/materiales_didacticos/Los_cuadrilateros/index.htm

6

La circunferencia
y sus elementos

Lo que conozco. Cada uno de los integrantes de tu grupo deberá traer 10 taparroscas de algún envase de agua o refresco. Cuando su maestro lo indique, salgan al patio de la escuela con el material y una libreta.

En el patio de la escuela, coloquen una taparrosca en el suelo y marquen su contorno con gis; esto será el centro. Usen una vara o un palo de escoba de aproximadamente 50 cm como medida para que cada uno de ustedes coloque sus taparroscas a la misma distancia del centro; asegúrense que no quede algún espacio entre las taparroscas.

❖ ¿Qué figura geométrica han formado las taparroscas colocadas en el piso? _____

❖ ¿Qué condición debe cumplirse para que varios puntos estén en una misma circunferencia? _____

Escriban la definición de circunferencia.

_____
_____
_____
_____
_____
_____
_____
_____
_____
_____
_____
_____

Jueguen a formar circunferencias.

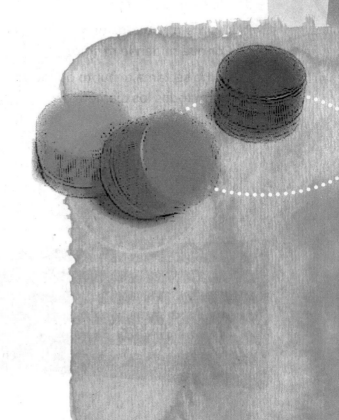

1. Organizados en equipos, tracen dos circunferencias de 3 cm de radio en un papel, utilizando compás o una tapa redonda. Después, recórtenlas.

Tomen uno de los círculos y dóblenlo por la mitad, luego desdóblenlo y marquen con algún color la línea que se formó (segmento de recta).

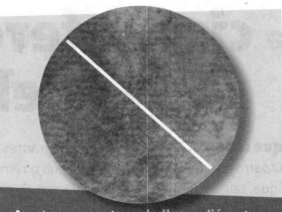

A este segmento se le llama diámetro de la circunferencia.

❖ ¿Por qué un diámetro es un eje de simetría? _____

❖ ¿Cuántos diámetros tiene una circunferencia? _____

En el otro círculo traza dos diámetros, mide la distancia que hay de los extremos de los diámetros al punto donde éstos se cortan.

Un radio es la distancia que hay entre cualquiera de los puntos de la circunferencia y su centro.

❖ ¿Cuánto midió cada uno? _____
¿Por qué miden lo mismo? _____

❖ ¿Cómo se llama al punto donde se cortan todos los diámetros? _____

❖ Cuántos radios forman un diámetro? _____

❖ Cuál es la diferencia entre círculo y circunferencia? _____
_____
_____
_____

La circunferencia se define como el conjunto de los puntos que equidistan de otro punto fijo llamado centro.
Un círculo es una superficie plana cuyo contorno o perímetro es una circunferencia.

Usa tu compás para trazar en tu cuaderno una circunferencia, delinéala con un color y colorea el círculo con otro.

2. Utiliza una hoja para la siguiente actividad:

Al centro de la hoja dibuja tres puntos no alineados; a cada punto asígnale una letra (A, B y C). Une los puntos para formar el triángulo ABC. Encuentra el centro de una circunferencia que pase por los tres vértices del triángulo formado.

Para comprobar, con tu compás traza la circunferencia que pasa por los puntos A, B y C.

Escribe en el siguiente espacio tu procedimiento para encontrar el centro de la circunferencia que pasa por los tres puntos dados y compáralo con el de otros compañeros.

3. En equipos, busquen una manera de trazar lo que se indica en cada caso. En todos los trazos deben utilizar su juego de geometría.

a) Tracen una circunferencia cuyo diámetro sea el segmento $\overline{AB}$

B

A

b) Tracen las diagonales del cuadrado. Con el compás tracen una circunferencia con centro en el cruce de las diagonales y que pase por un vértice. La circunferencia ¿pasa por los otros 3 vértices?

c) Tracen una circunferencia que pase por los cuatro vértices del rectángulo.

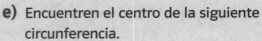

d) Tracen un rectángulo cuyos vértices estén sobre la circunferencia.

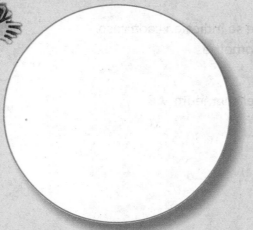

e) Encuentren el centro de la siguiente circunferencia.

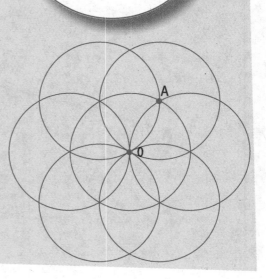

f) Reproduzcan en su cuaderno la siguiente figura. Cada circunferencia debe medir 6 cm de diámetro.

Sugerencia: Traza una circunferencia de 6 cm de diámetro con centro en O. Observa que A es cualquier punto de la circunferencia que trazaste cuyo punto central es O.

7

Hacia **donde mires** hay **líneas** y **ángulos**

Lo que conozco. Toma una hoja de papel y dóblala, desdóblala y marca con algún color el segmento que se formó.

Vuelve a doblar la hoja de tal forma que una parte del segmento marcado coincida con la otra parte. Desdóblala y marca con el mismo color el nuevo segmento formado.

Observa tus segmentos marcados y encierra los que se parezcan.

Encuentra en tu salón lugares en los que haya segmentos parecidos a los tuyos.

1. En equipos de tres integrantes lleven a cabo lo que a continuación se pide.

Dobla una hoja de papel, desdóblala y marca el doblez en color rojo por ambos lados de la hoja. Dobla la hoja de forma que una parte del segmento de color rojo coincida con la otra parte; marca este último doblez de color azul, también por ambos lados. Repite la operación con otra parte del segmento rojo y marca asimismo el nuevo doblez de color azul.

❖ Los segmentos azules se llaman segmentos *paralelos*.

❖ Un segmento azul y el segmento rojo forman entre sí lo que se llama segmentos *perpendiculares*.

❖ ¿Cuánto mide cada ángulo entre el segmento azul y el rojo?

_____

Dibuja un segmento verde que corte los segmentos anteriores. El segmento verde y el segmento rojo forman entre sí segmentos secantes, al igual que el segmento verde con cada uno de los segmentos azules.

> **Dos rectas o dos segmentos que se intersecan y forman ángulos de 90° se llaman perpendiculares entre sí.**

2. Contesten las preguntas.

❖ ¿A qué se le llama segmentos paralelos? _____
_____

❖ ¿Por qué los segmentos paralelos, por más que los alarguemos, no se intersecan? _____
_____

❖ ¿Por qué no a todas las rectas que se intersecan se les llama rectas perpendiculares?

_____

_____

A los ángulos mayores que 0° pero menores que 90° se les nombra **agudos** y a los ángulos mayores que 90° pero menores que 180° se les llama **obtusos**.

3 Traza dos segmentos que se intersequen y que no sean perpendiculares.

❖ ¿Cuánto miden los cuatro ángulos?
_____, _____, _____ y
_____

❖ ¿Cómo le llamas a un ángulo de 87°? _____

❖ ¿Cómo le llamas a un ángulo de 102°? _____

❖ ¿Cuánto puede medir un ángulo obtuso? _____

4. Observa el dibujo que representa un depósito de agua y localiza lo que se te pide.

❖ Delinea de rojo un par de segmentos perpendiculares.

❖ Marca con verde dos ángulos rectos.

❖ Ahora con amarillo, dos ángulos agudos.

❖ Finalmente con morado, dos ángulos obtusos.

❖ Compara con algún compañero tu trabajo y encuentren coincidencias y diferencias.

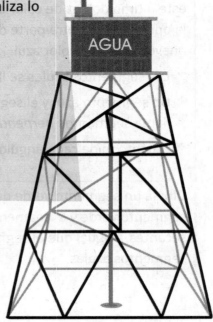

AGUA

Y en un **mapa,** ¿qué tan **lejos está?**

Lo que conozco. Resuelve el problema.

El siguiente es el plano de una unidad habitacional. Los números marcan las casas de los amigos de Felipe. La suya es la que tiene el 4.

❖ Si Felipe quiere visitar a Daniel tiene que caminar dos calles al este y cuatro calles al norte. ¿Cuál es el número de la casa de Daniel?

❖ Si Daniel quiere visitar a Marta requiere caminar cuatro calles al sur, una al oeste y cuatro al norte. ¿Cuál es el número de la casa de Marta?

❖ Si Marta quiere visitar a Montserrat tiene que caminar cuatros calles al sur, después dos al este y una al norte. ¿Cuál es el número de la casa de Montserrat?

❖ ¿Cuál es el número de la casa de Francisco?

Describe cómo llegará Montserrat a la casa de Francisco

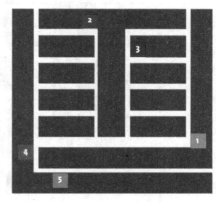

1. Traza en el mapa las rutas siguientes.

❖ Jorge se encuentra en la esquina 9 Sur y 15 Poniente y Carmen está en 9 Norte y 14 Poniente. Ambos quieren trasladarse al Centro de Convenciones de Puebla. ¿Cuál es la ruta más corta que debe tomar cada quien para llegar a dicho lugar?_____

_____

_____

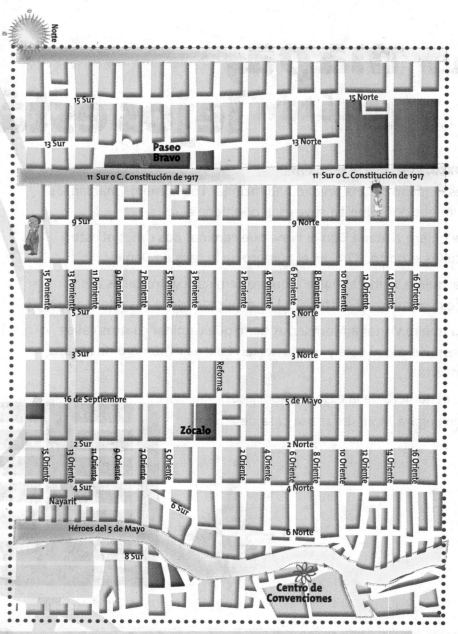

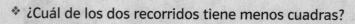

❖ ¿Cuál de los dos recorridos tiene menos cuadras?

_____

❖ María está en la esquina de las avenidas 4 Norte y 16 Oriente.
¿Qué ruta debe seguir para llegar al Paseo Bravo sin demorarse
tanto? _____

_____

❖ ¿Cuántas cuadras deberá recorrer María? _____

Compara tus respuestas con las de otros compañeros para saber
quiénes encontraron el camino más corto.

Los mapas y los cuatro puntos cardinales (Norte, Sur, Este y Oeste) permiten orientarnos en un lugar. Además los mapas están construidos a escala. Por ejemplo, en un mapa que se elabora con escala uno a cien (1:100) cada 1 cm equivale a 100 cm, porque la distancia representa una longitud 100 veces mayor; así 5 cm equivalen a 500 cm o 5 m.

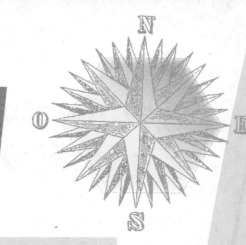

2. Contesta las preguntas siguientes.

❖ En el plano de la página anterior, ¿qué distancia hay en realidad entre la esquina 4 Norte con Reforma y la esquina 9 Norte con Reforma? _____

❖ Dibuja el plano de tu salón en una hoja cuadriculada a escala 1:50.

❖ ¿Qué dimensiones tiene tu salón en el plano?_____

❖ ¿Cuáles serían las dimensiones del pizarrón? _____

❖ ¿Cuáles, las de la mesa del maestro? _____

❖ ¿Qué medidas tendría un salón de 6 m de ancho y 8 m de largo, si se usa la misma escala? _____

RETO

Auxíliate con la página 23 del Atlas de geografía universal y contesta las preguntas.

¿Cuál es la escala que emplea el mapa?

¿Cuántos cm hay entre el volcán Popocatépetl y el Krakatoa en Indonesia?

¿Cuál es la distancia real que hay entre el Popocatépetl y el Krakatoa?

Dato interesante

Recuerda que caminar o hacer alguna actividad física por al menos 30 minutos diarios te ayuda a tener un peso saludable.

Consulta en...

Ingresen a un buscador para localizar mapas de México. En el mapa identifiquen su ciudad o localidad, después ubiquen su escuela y la casa de tres compañeros. Para saber cuáles son las casas más cercanas a su escuela, consideren la escala que se indica en el mapa. Dibujen un croquis en su cuaderno con la ubicación de la escuela y las casas de sus tres compañeros.

9

Si aumento al **doble,** ¿duplico **el área?**

Lo que conozco. En equipos, trabajarán en el
geoplano. Con bandas elásticas formarán cuadrados y
rectángulos de las medidas que aparecen en las dos
tablas de la página siguiente.

❖ Si no cuentan con un geoplano utilicen la
   cuadrícula de sus cuadernos. Por ejemplo, para las
   primeras medidas, las figuras pueden
   quedar de la manera siguiente:

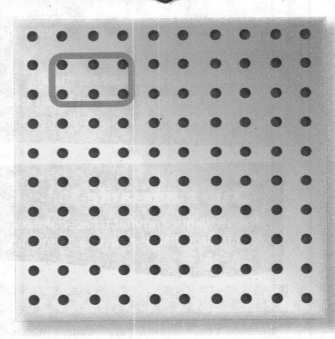

Completen las tablas anotando lo que se pide.

Cuadrado			
Aumento	Unidad por lado	Perímetro	Área
	1		
Doble	2		
Triple	3		
Cuádruple			
Quíntuple			

Rectángulo				
Aumento	Unidad por lado mayor	Unidad por lado menor	Perímetro	Área
	2	1		
Doble	4	2		
Triple	6			
Cuádruple	8			
Quíntuple		5		

1. Analicen la manera en que cambian el perímetro y el área, y comenten sus opiniones en cada equipo:

a) Si los lados aumentan al doble, ¿qué sucede con el perímetro? _____ ¿Qué sucede con el área?_____
¿Cuántas veces aumenta o disminuye el área? _____

b) Si los lados aumentan al triple, ¿qué sucede con el perímetro? _____ ¿Qué ocurre con el área? _____
¿Cuántas veces aumenta o disminuye el área? _____

c) Si los lados disminuyen a la mitad, ¿qué sucede con el perímetro? _____ ¿Qué ocurre con el área? _____
¿Cuántas veces disminuye o aumenta el área? _____

2. En equipos, observen la imagen siguiente. Completen la tabla y respondan las preguntas.

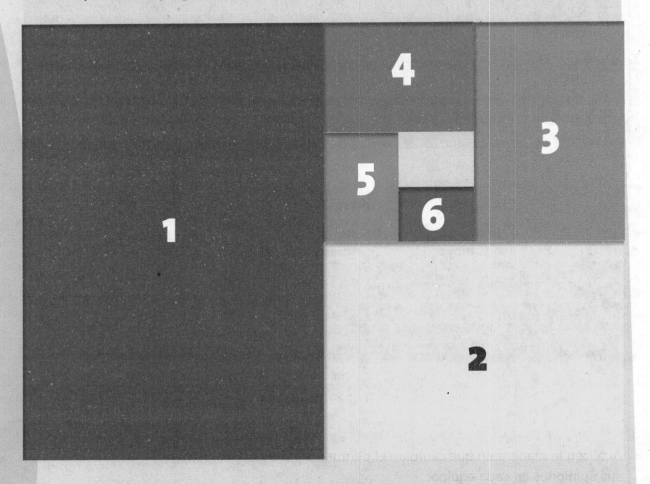

	Rectángulo Inicial	Rectángulo 1	Rectángulo 2	Rectángulo 3	Rectángulo 4	Rectángulo 5	Rectángulo 6
Base (cm)	16	8					
Altura (cm)	12	12	6				
Perímetro							
Área							

❖ ¿Qué relación encuentras entre la superficie del rectángulo inicial y la suma de las áreas de los demás rectángulos? _____

_____

❖ Del rectángulo inicial al rectángulo 1, ¿cuánto disminuyó la base? _____

_____

❖ ¿Cuánto se redujo la altura? _____

_____

❖ ¿Cuánto disminuyó el perímetro? _____

_____

❖ ¿Cuánto decreció el área? _____

_____

❖ Del rectángulo 1 al rectángulo 2, ¿cuánto disminuyó la base? _____

_____

❖ ¿Cuánto se redujo la altura? _____

_____

❖ ¿Cuánto disminuyó el perímetro? _____

_____

❖ ¿Cuánto decreció el área?_____

_____

❖ Contesta las mismas preguntas con los rectángulos 3 y 4, 5 y 6. Escribe una conclusión _____

_____

_____

❖ ¿Son proporcionales los lados del rectángulo inicial y los del rectángulo 1?

_____

¿Son proporcionales los lados de los rectángulos 1 y 2? _____

¿Son proporcionales los lados de los rectángulos 3 y 4? _____

¿Son proporcionales los lados de los rectángulos 5 y 6? _____

❖ Escribe una conclusión. _____

_____

_____

RETO

Completa la tabla.

				Polígonos regulares			
Figuras	**Número de lados**	**Longitud de cada uno de sus lados**	**Perímetro 1**	**Área 1**	**Doble de la longitud de sus lados**	**Perímetro 2**	**Área 2**
Triángulo equilátero			18 cm				
Hexágono regular		3 cm			6 cm		
Cuadrado					8 cm		
Rectángulo		4 y 8 cm					

Sugerencias:

Traza los polígonos en tu cuaderno para obtener su área.

Para calcular el área podrás dividir los polígonos en triángulos iguales.

Para obtener la altura mide de la base al centro de la figura, como se muestra en la imagen:

$$\text{Área} = \frac{\text{Base} \times \text{Altura}}{2}$$

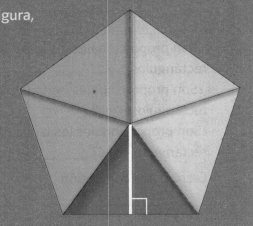

10
La información en los porcentajes

Lo que conozco. Una casa de préstamos ofrece dinero cobrando intereses. El anuncio dice:

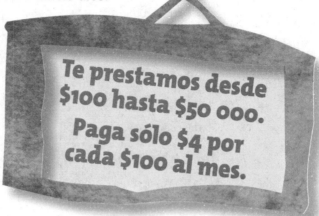

Te prestamos desde $100 hasta $50 000.
Paga sólo $4 por cada $100 al mes.

❖ ¿Cuál es el interés mensual que se cobra por el préstamo?

_____

❖ Calcula el interés mensual que se pagará por las cantidades que se muestran en la tabla.

Cantidad ($)	Interés ($)
100	
200	
500	
1 000	
1 500	
2 500	
10 000	
50 000	
150	
2 650	
125	
1 625	

1. En equipos, resuelvan los problemas.

Luis, Ana y Javier venden artesanías, cada uno en su puesto del mercado.
Decidieron ofrecer toda su mercancía con 10% de descuento.
Completen la tabla siguiente.

			Luis	Ana	Javier
Sarape		**Precio ($)**	100	140	80
		Descuento ($)	10		
		Precio rebajado ($)	90		
Aretes		**Precio ($)**	50		
		Descuento ($)		6	4
		Precio rebajado ($)			
Blusa		**Precio ($)**			
		Descuento ($)	8		
		Precio rebajado ($)		45	63

2 Completen la tabla con los diferentes porcentajes de descuento para el mismo artículo. Consideren que 10% del precio es igual a $13.00.

Porcentaje	Descuento ($)	Precio con descuento
6%		
12%	15.60	114.40
18%		
24%		
30%		
36%		
42%	54.6	75.4
48%		

Es lo mismo hablar de "tantos por cada cien" que de porcentaje. Por ejemplo: 4 de cada cien = 4%

11

Interpreto la **información** contenida **en tablas**

Lo que conozco. Observa las tablas de otras lecciones
de este mismo bloque y en tu cuaderno describe las
características que tienen en común.

1. Organizados en parejas, contesten las preguntas. En la tabla siguiente
se indica la distancia que recorrieron los ciclistas con respecto al
tiempo que emplearon.

	Distancia (m)	Tiempo	
		Minutos	Segundos
Daniel	1200	2	46
Christian	800	1	55
Abraham	1500	2	25
Margarita	950	2	20

❖ ¿Quién pedaleó durante más tiempo? _____

❖ ¿Quién pedaleó durante menos tiempo? _____

❖ ¿Quién recorrió una distancia mayor? _____

2. En parejas, analicen la gráfica y, con base en la información que muestra, contesten las preguntas.

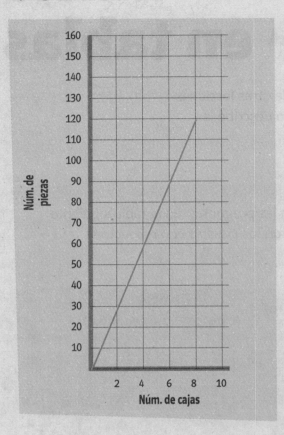

❖ ¿Cuántas piezas hay en cada caja? _____

❖ ¿Cuántas cajas se necesitan para guardar 90 piezas? _____

❖ ¿Cuántas piezas hay en 10 cajas? _____

3. En parejas, analicen la información de la gráfica, completen la tabla y después contesten las preguntas.

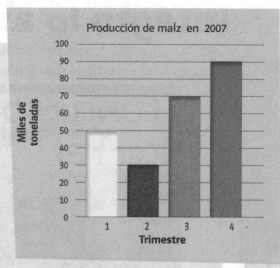

Producción de maíz en 2007

❖ ¿Cómo pueden identificar con facilidad los trimestres en los que la producción crece o decrece, analizando la gráfica o la tabla?

_____

_____

¿Por qué? _____

_____

❖ En el eje vertical ¿qué información obtienen?

_____

Trimestre	Producción de maíz (miles de toneladas)
Enero-marzo	50
Abril-junio	
Julio-septiembre	
Octubre-diciembre	

Una gráfica contiene información de dos tipos de datos: unos en el eje horizontal y los otros en el vertical. En este ejemplo, el eje horizontal de la gráfica incluye información sobre los trimestres del 2007 y el vertical corresponde a la producción de maíz.

4. La tabla muestra la variación del tiempo (t, en horas) y la distancia (en kilómetros) de un automóvil que avanza a una velocidad constante. Contesta las siguientes preguntas.

Tiempo (horas)	Distancia (kilómetros)
1	70
2	140
3	210

❖ ¿Qué distancia recorrerá el automóvil en 6 horas? _____

❖ ¿En qué tiempo recorrerá 80 km? _____

❖ Si la velocidad se reduce a la mitad, ¿qué distancia cubrirá en 4 horas? _____

Integro lo aprendido

Ahora aplicarás los conocimientos contruídos en el bloque.
Resuelve los problrmas siguientes.

Reglas.

Diseña una composición geométrica con las siguientes características:

❖ Que sea rectangular.

❖ Que de ancho mida $\frac{2}{3}$ partes que de largo, pero que ambas
  medidas se representen con números enteros y que no pasen
  de 45 cm.

❖ Que tenga un diseño formado por círculos y cuadriláteros.

❖ Que esté coloreado.

Entrega tu propuesta con tu diseño y las medidas
correspondientes.

Anexa a tu propuesta un croquis que incluya tu casa y lugares
cercanos clave (tiendas, escuela, biblioteca, etc.), además de la
ruta que se debe seguir desde tu escuela hasta tu casa.

Evaluación

A continuación resolverás problemas en los que aplicarás los conocimientos aprendidos en el bloque.

Instrucciones. Encierra la letra que corresponda a la respuesta correcta o completa lo que se te pide.

1. Utiliza la siguiente información y contesta las preguntas.

❖ Mariana vive en la casa marcada con el número 33 de la calle de Congreso. Describe el trayecto más corto para ir, a la calle de Trabajo y Previsión Social, número 170.

Respuesta: _____

_____

❖ Menciona el nombre de un segmento de calle transversal y uno paralelo a la calle donde vive Mariana, que se localiza entre las calles de Gobierno del Distrito y Estadística.

Transversal: _____

Paralela: _____

❖ ¿Cuál es el diámetro de la circunferencia que contiene al octágono formado por la calle de Procuraduría General de Justicia?

a) 137 m
b) 250 m
c) 450 m
d) 475 m

2. Contesta las preguntas.

Para contribuir a la decoración de su salón, Ricardo, Pablo y María se organizaron para recolectar latas de aluminio y periódico viejo. Por las latas de aluminio les pagaron $192 y por los periódicos, $14.

Material	Precio por kilogramo
Periódico	70 centavos
Latas de aluminio	12 pesos
Cartón	40 centavos

❖ ¿Cuántos kilogramos de aluminio vendieron?
a) 16
b) 20
c) 36
d) 35

❖ Aproximadamente 70 latas forman un kilogramo. ¿Qué fracción representa 2 240 latas?

a) $\frac{1}{4}$

b) $\frac{1}{6}$

c) $\frac{1}{32}$

d) $\frac{1}{25}$

Autoevaluación

En las casillas correspondientes, marca con una paloma ✔ lo que mejor refleje lo que piensas.

Contenidos procedimentales	Siempre lo hago	Lo hago a veces	Difícilmente lo hago
Resuelvo problemas de diferentes formas con fracciones.			
Interpreto la información presentada en tablas y gráficas.			
Trazo figuras geométricas con regla y compás.			
Ubico algún lugar de mi comunidad en un mapa o croquis.			

Contenidos actitudinales	Siempre lo hago	Lo hago a veces	Difícilmente lo hago
Respeto y valoro las costumbres y tradiciones de mis compañeros.			
Cuido mi cuerpo comiendo alimentos nutritivos.			
Cuando trabajo en equipo, aprendo de mis compañeros.			
Cuando trabajo en equipo, efectúo mejor las cosas que si las llevo a cabo individualmente.			

Bloque II

Aprendizajes esperados

- Lee, escribe y compara números naturales y decimales. Conoce el valor de sus cifras en función de su posición.
- Utiliza las propiedades de la división de números naturales al resolver problemas.
- Aplica el factor constante de proporcionalidad para resolver problemas de valor faltante.
- Resuelve problemas que involucran el uso de las medidas de tendencia central (media, mediana y moda).
- Construye prismas y pirámides, y calcula la superficie lateral y la total.

12

Unidades, miles y milésimos

Lo que conozco. Escribe con letra lo que se te pide:

❖ El año en que naciste _____

_____

❖ El año de la independencia de México _____

_____

❖ 1 048 576,_____

es la cantidad de kilobytes (KB) que forman un gigabyte (GB).

1. Reúnete con otro compañero y contesten las preguntas.

❖ En el número 343, ¿cuál es la diferencia entre el valor posicional del primer tres y el del otro? _____

_____

❖ Escriban un número de tres dígitos mayor a 343 empleando esos mismos dígitos. ¿Cuántas centenas tiene el número que escribieron? _____

_____

❖ En el número 0.272, ¿cuál es el valor posicional de un dos y cuál el del otro dos?

_____

_____

❖ Escriban un número de tres dígitos menor que 0.272 empleando esos mismos dígitos. ¿Cuántos milésimos tiene el número que escribieron? _____

_____

2. En parejas, jueguen al Número más chico: por turnos, uno de ustedes escribe un número de cinco cifras que tenga todos sus dígitos distintos, sin importar si es entero o decimal. El compañero escribe un número menor usando esos mismos dígitos; si es correcto gana un punto. Después, intercambiarán papeles. El ganador será el primero que logre juntar cinco puntos.

Ejemplo: se escribe el número 123.45, entonces un número menor puede ser 12.345 o 51.234.

RETO

En parejas, encuentren la expresión que es diferente a las otras y modifíquenla para que sea igual. En cada inciso hay tres maneras de expresar un mismo número y una que no lo es.

a)

| 2.05 | $2 + \dfrac{5}{100}$ | $2 + 0.05$ | $\dfrac{205}{10}$ |

b)

| $\dfrac{891}{100}$ | $800 + 90 + 1$ | $8 + \dfrac{9}{10} + \dfrac{1}{100}$ | 8.91 |

c)

| 34.7 | $30 + 4 + \dfrac{7}{100}$ | $30 + 4 + \dfrac{7}{10}$ | $\dfrac{347}{10}$ |

d)

| $200 + 20 + 4 + 0.5$ | $200 + 20 + 4 + \dfrac{5}{10}$ | $200 + 240.5$ | $200 + \dfrac{245}{10}$ |

e)

| $\dfrac{2}{100} + \dfrac{5}{1\,000}$ | 0.125 | $\dfrac{1}{10} + \dfrac{2}{100} + \dfrac{5}{1\,000}$ | $\dfrac{125}{1\,000}$ |

El valor relativo de una cifra en un número depende de su posición, y por ello también se le llama **valor posicional**. En notación decimal se toma como referencia la posición que cada número ocupa con respecto al punto decimal. A los números a la derecha del punto se les llama decimales y a la izquierda enteros.

13

¿En dónde quedan las fracciones y decimales?

Lo que conozco. Escribe con números decimales las siguientes fracciones y después ordénalos de mayor a menor.

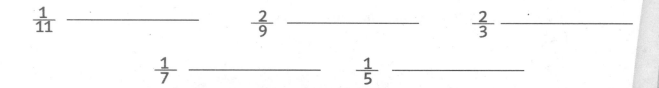

$\frac{1}{11}$ _____ $\frac{2}{9}$ _____ $\frac{2}{3}$ _____

$\frac{1}{7}$ _____ $\frac{1}{5}$ _____

1. Realiza la siguiente actividad.

❖ En cada una de las siguientes rectas localiza los puntos 0.1 y $\frac{4}{5}$

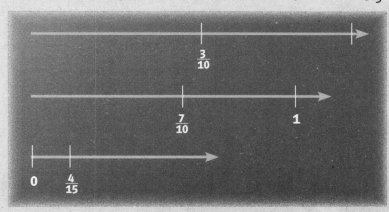

❖ Localiza los puntos 0.1 y 0.7 en las rectas siguientes.

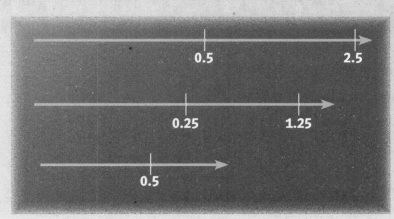

❖ En la primera recta numérica localiza $\frac{3}{5}$.

❖ ¿Cuántos décimos hay entre dos marcas de la recta?

❖ Ubica en la recta el punto 0.7

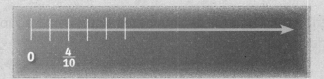

❖ ¿Qué fracciones están marcadas entre los puntos 0 y 2 en la siguiente recta? _____

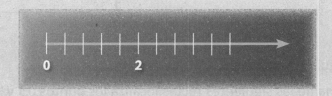

❖ Localiza la fracción $\frac{4}{5}$ en la recta anterior.

❖ En esta recta, haz los trazos necesarios y contesta:

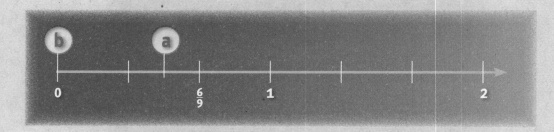

❖ ¿Qué número representa el punto a? _____

❖ ¿En qué número se encuentra la letra b? _____

❖ Ubica $1\frac{1}{6}$

RETO

Traza en tu cuaderno dos rectas iguales, marca en ellas el 0 y el 1. En la primera, localiza las fracciones siguientes, y en la segunda, su expresión decimal:

$$\frac{1}{2} = \boxed{} \qquad \frac{4}{10} = \boxed{} \qquad \frac{5}{8} = \boxed{}$$

$$\frac{7}{12} = \boxed{} \qquad \frac{5}{6} = \boxed{}$$

Compara tu trabajo con el de otro compañero y comenten acerca de las representaciones que hicieron en las rectas; después escriban una conclusión y expóngala ante el grupo.

Las fracciones pueden representarse en la recta numérica del siguiente modo: al inicio de la recta se coloca el 0, el 1 a su derecha y sobre la recta, dejando una longitud entre ambos números, la cual se toma como unidad; ésta se utiliza como separación entre los enteros 2, 3, 4, etc. Éstos se escriben en orden ascendente de izquierda a derecha.

El denominador de la fracción indica en cuántas partes iguales se divide cada unidad, el numerador indica cuántas partes se toman a partir del cero.

Consulta en...

http://descartes.cnice.mec.es/materiales_didacticos/ Fracciones_representacion/escena08.htm
Ahí podrás hacer ejercicios para practicar lo visto en esta lección.

14
La división
sirve para repartir

Lo que conozco. En un pueblo con 8 192 habitantes, una persona se enteró de una noticia y la contó en 3 minutos a otras 2 personas. Si cada una de esas dos personas cuenta la noticia a otras 2 personas también cada 3 minutos, y así sucesivamente:

❖ ¿En cuánto tiempo se enterarán de la noticia 100 personas? _____

❖ ¿En cuánto tiempo se enterará todo el pueblo? _____

❖ ¿Si contaran la noticia en 1 minuto, ¿en cuánto tiempo se enteraría todo el pueblo? _____

1. Contesta las siguientes preguntas.

Los desechos orgánicos que un camión recolectó el lunes fueron vaciados en contenedores metálicos de 660 L cada uno.

❖ El martes se llenaron 9 contenedores y se colocaron 80 L de desechos en un décimo contenedor, ¿cuántos litros de desechos recolectó el camión en total? _____

❖ El miércoles levantaron 7 600 L de desechos, ¿cuántos contenedores se llenaron? _____ y ¿cuántos litros quedaron en un contenedor sin llenar? _____

❖ El jueves había muchos desechos orgánicos y fueron trasladados en varios camiones. ¿Cuántos contenedores se llenaron si había 9 500 L de desechos? _____ ¿cuántos litros faltaron para llenar uno más? _____

2. En equipo, resuelvan la actividad.

❖ Calculen el cociente y el residuo de dividir 49 entre 6. Si duplicamos 49 y volvemos a dividirlo entre 6, ¿qué sucede con el cociente? _____ ¿Y qué ocurre con el residuo? _____

❖ Dividan 124 entre 4. Ahora dividan 124 entre el numero divisor duplicado. ¿Qué sucede con el cociente? _____ ¿Qué pasa con el residuo? _____ ¿Por qué? _____

❖ Dividan 51 entre 6. Ahora dupliquen 51 y vuelvan a dividirlo entre 6. ¿Qué sucede con el cociente? _____
¿Qué ocurre con el residuo? _____

❖ En su cuaderno, inventen dos problemas en los que se vea qué sucede con el cociente y el residuo cuando se duplican el divisor o el dividendo

❖ Expongan su trabajo frente al grupo.

❖ Elaboren una conclusión de grupo y escríbanla en el siguiente espacio.

3. Completa la tabla sin escribir operaciones o usar la calculadora.

Escribe en el siguiente espacio la manera en que se relacionan el dividendo, el divisor, el cociente y el residuo. Si es posible, intenta expresar esta relación de manera abreviada utilizando la D para el dividendo, la d para el divisor, la c para el cociente y la r para el residuo.

Dividendo (D)	Divisor (d)	Cociente (c)	Residuo (r)
70	8		
	7	5	3
45		9	
	3	10	
100			0
254	25		
	37	5	16
487		10	7
	42	15	19

_____
_____
_____
_____
_____
_____

RETO

Realiza las siguientes divisiones y, escribe a la derecha una palabra o una oración que tenga el número de letras que indica el cociente de la división.

$720 \div 80 =$ _____

_____
_____

$6\ 570 \div 365 =$ _____

_____
_____

$11\ 908 \div 458 =$ _____

_____
_____

15

¿Con cuánto cubro el **prisma** y la **pirámide?**

Lo que conozco. Con papel periódico envuelve tu diccionario utilizando la menor cantidad que puedas de papel.

❖ ¿Cuántos centímetros cuadrados utilizaste de papel? _____ cm²

1. Observa los desarrollos planos y contesta.:

❖ ¿Con cuáles de los desarrollos planos puedes construir un prisma?

❖ ¿Cuál es el área de todas las caras laterales de la pirámide pentagonal? _____

❖ ¿Cuál es el área de todas las caras del prisma cuadrangular?

_____

❖ ¿Cuál de estos desarrollos tiene mayor superficie?

❖ ¿Cuánto cartón será necesario para hacer una caja en forma de prisma cuadrangular (esto es, como base un cuadrado), si la arista de la base es 25 cm y las otras aristas son de 40 cm?

❖ ¿Cuál de los patrones necesita menos papel para armarlo?

12 cm

5 cm

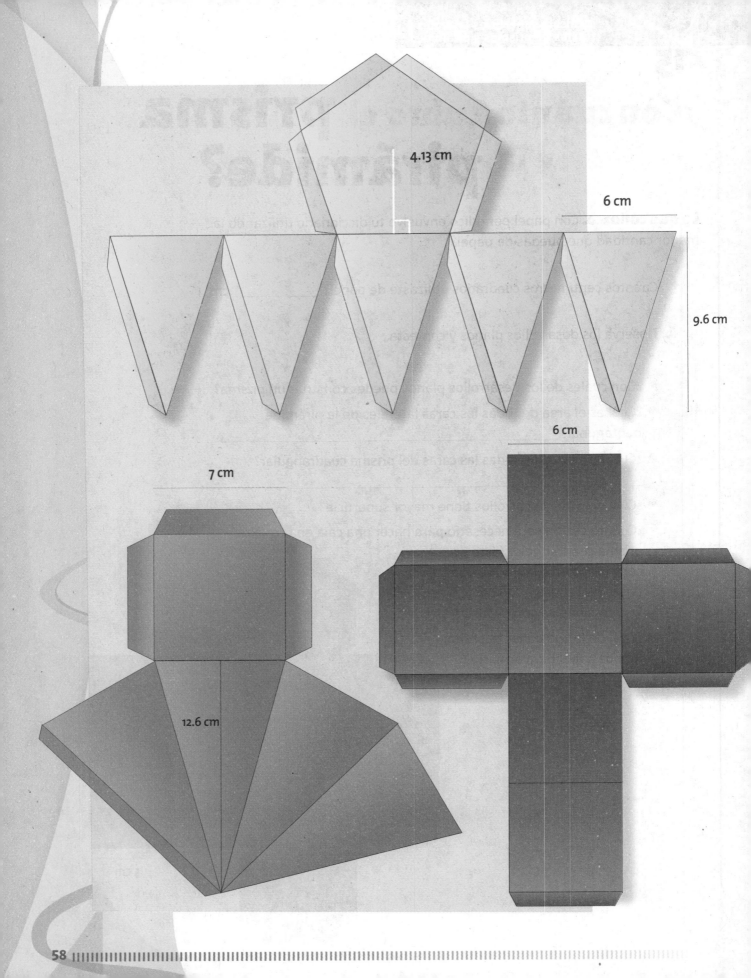

4.13 cm

6 cm

9.6 cm

7 cm

6 cm

12.6 cm

2. Resuelve los siguientes problemas.

❖ En una fábrica se hacen cajas cúbicas de 10 cm de arista como la de la ilustración. ¿Qué cantidad de material (en cm^2) se ocupa, aproximadamente, para construir 100 cajas?

_____

Consulta en...

Descarga el programa Poly de: http://www.peda.com/download/
Podrás hacer ejercicios para practicar lo visto en esta lección.

❖ Las siguientes cajas tienen la misma capacidad, pero se requiere menos cartón para construir una de ellas. ¿Cuál de las dos necesita menos cartón?

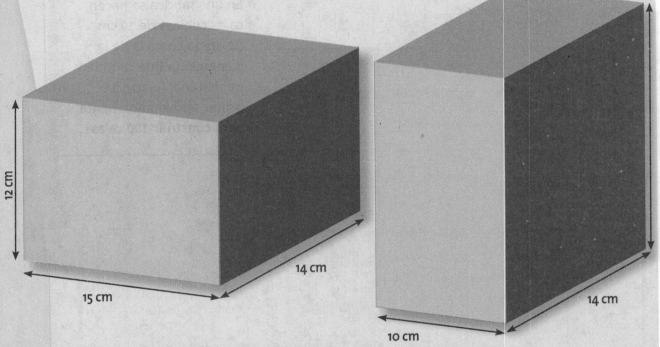

❖ ¿Qué cantidad de cartón se ahorrará el fabricante al construir 100 cajas si usa el diseño que necesita menos cartón? _____

❖ Carlos va a forrar los triángulos de la siguiente pirámide con papel de colores, ¿qué cantidad de papel requiere? _____

RETO

¿Qué medidas debe tener una caja con menos área y el mismo volumen que las cajas del ejercicio anterior? _____

16

Construye **prismas** y **pirámides**

Lo que conozco.

❖ ¿Cuántos lados tiene la base del prisma marcado? _____

1. Traza las figuras siguientes en una cartulina. Utilízalas como base para construir tres prismas de 9 cm de altura.

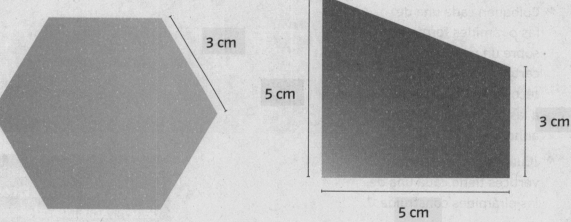

3 cm

5 cm

3 cm

5 cm

2. En equipos, elijan un prisma de los anteriores y escriban en una hoja algunas de sus características.
Intercambien con otro equipo la hoja para que identifiquen cuál fue el prisma seleccionado.

4 cm

5 cm

3. En equipos realicen las siguientes actividades.

❖ Tracen y recorten 18 triángulos isósceles de 10 cm, 10 cm y 5 cm por lado.

❖ Construyan cuatro pirámides utilizando 3, 4, 5 y 6 triángulos isósceles, respectivamente, como caras laterales. Peguen los lados con cinta adhesiva.

❖ ¿Qué tipo de polígonos serán las bases?_____

_____

_____

_____

❖ Coloquen cada una de las pirámides formadas sobre un pedazo de cartón, tracen sus bases, recórtenlas y péguenlas a las pirámides con cinta adhesiva.

❖ ¿Cuántas caras, aristas y vértices tiene cada una de las pirámides construidas?

Registren sus respuestas en la tabla.

Cómo es su base	Núm. de caras (c)	Núm. de vértices (v)	Núm. de aristas (a)	Dibujo de la pirámide

Los prismas y las pirámides son cuerpos geométricos. Los prismas tienen caras laterales que son cuadriláteros, mientras que sus bases pueden ser cualquier polígono. Las pirámides tienen sólo una base, que puede ser cualquier polígono, y sus caras laterales tienen forma de triángulos.

Dato interesante

El matemático suizo Leonard Euler descubrió que en un poliedro (prismas y pirámides), la suma del número de vértices más el número de caras menos el número de aristas siempre será igual a dos.

$$v + c - a = 2$$

Verifica que esto es cierto con los datos de la tabla y con algunos prismas de las actividades anteriores.

17

¿Cuántos **cubos** forman el **prisma?**

Lo que conozco. En equipos de almenos tres integrantes, cada uno utilizará cuatro cubos de 10 cm de arista.

Con los cubos, formen todos los prismas cuadrangulares y rectangulares que sea posible y completen la siguiente tabla. Si es necesario, agreguen más filas a la tabla.

Prisma	Número de cubos a lo largo	Número de cubos a lo ancho	Número de cubos de altura	Volumen: número total de cubos que forman el prisma
A				
B				
C				
D				
E				

1. Contesta las preguntas.

❖ ¿Cuántos cubos se necesitan para formar un prisma que mida 5 cubos de largo, 2 cubos de ancho y 4 de altura?

_____

❖ En grupo, propongan una fórmula que les permita calcular el volumen de un prisma rectangular y escríbanla:

_____
_____
_____
_____
_____
_____
_____
_____
_____
_____
_____

2. Organizados en parejas, consideren los siguientes prismas para responder las preguntas.

a) ¿Cuál de los prismas tiene de volumen 18 cubos? _____ _____

b) Si la altura de ambos prismas fuera 4 cubos, ¿cuál sería la diferencia de sus volúmenes? _____ _____

c) Si duplican el número de cubos a lo ancho de cada cuerpo, ¿en cuánto se incrementa su volumen? ___ _____

d) Si duplican el número de cubos a lo largo y a lo ancho, ¿en cuánto aumenta su volumen? _____ _____

El *volumen* de un cuerpo es la cantidad de espacio que ocupa. Las unidades de medida pueden ser: *metros cúbicos* (m^3), *decímetros cúbicos* (dm^3), *centímetros cúbicos* (cm^3) o *milímetros cúbicos* (mm^3), entre otras.

$$1\ m^3 = 1000\ dm^3$$
$$1\ dm^3 = 1000\ cm^3$$
$$1\ cm^3 = 1000\ mm^3$$

1 cm

1 cm

1 cm

1 cm x 1 cm x 1 cm = 1 cm^3

3. En parejas, resuelvan los problemas siguientes.

Ana compra 30 chocolates de forma cúbica, cuyas aristas miden 3 cm, desea envolverlos para regalo en una caja que tenga forma de prisma rectangular.

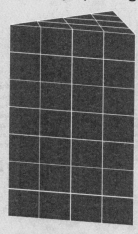

❖ ¿Cuáles deben ser las medidas de la caja para que los 30 chocolates llenen toda la caja? _____

❖ ¿Los 30 chocolates pueden llenar una caja de forma cúbica?_____ ¿Por qué? _____

Calcula el volumen de este prisma triangular en unidades cúbicas.
¿Cuántas unidades hay en total? _____

Los establecimientos que reciclan fierro, aluminio y demás metales los clasifican y comprimen hasta formar cubos de $\frac{1}{2}$ metro de lado. Los cubos se almacenan en los espacios A y B, que tienen las siguientes dimensiones:
Espacio A: 12.40 m de largo, 3.90 m de ancho y 3.40 m de altura.
Espacio B: 12.20 m de largo, 3.70 m de ancho y 3.20 m de altura

❖ ¿Cuál es el volumen del cubo que mide $\frac{1}{2}$ m de lado? _____

❖ ¿Cómo calculaste el volumen? _____

❖ ¿Cuántos cubos de metal para reciclar se pueden colocar en el espacio A? _____
Y ¿cuántos en el B? _____

❖ Si los cubos de metal midieran 25 cm de lado, ¿cuántos cubos se podrían almacenar en el espacio A? _____ Y ¿cuántos cubos se podrían guardar en el espacio B? _____

RETO

Formen equipos y dibujen un cuerpo geométrico que tenga 270 unidades cúbicas (u^3). Al terminar, muestren su dibujo al grupo, expliquen cómo lo diseñaron y digan sus medidas para verificar que tiene 270 u^3.

18

¿Qué **información**
hay en las **etiquetas?**

Lo que conozco. En equipo, recolecten envases y envolturas de diversos productos, analicen la información que aparece en sus etiquetas y contesten.

❖ ¿Qué información contiene el empaque de los diferentes productos? _____

❖ ¿Piensan que todos los datos son importantes para los consumidores? _____
¿Por qué? _____

❖ ¿Qué información consideran que deberían tener impresa los diferentes productos? _____
_____

❖ En los productos perecederos se encuentra marcada la fecha de caducidad. ¿Cuántos meses faltan para que caduque el producto de uno de los envases que recolectaron? _____
_____

❖ Dibuja los símbolos que hay en los empaques.

Lavar a mano
con agua fría
Jabón suave
No planchar
No secadora
Secado en
superficie plana

LIQUIDO
INFLAMABLE
3

NOMBRE QUÍMICO
UN 7777

Información nutricional

Tamaño de la porción 1/2 (20 g)
Porciones por recipiente 2

Cantidad por porción

Calorías 370   Calorías de la Grasa 170

Grasa Total 19 g	29%
Grasa Saturada 12 g	60%
Colesterol 15 mg	5%
Sodio 250 mg	10%
Total Carbohydrate 48g	15%
Fibra dietética 2	8%
Azúcares 33 g	

1. En equipos, lean la información de las tablas y contesten las preguntas.

* Las siguientes tablas tienen la información nutrimental de una porción de leche y de una porción de avena.

* ¿Qué cantidad adicional de vitamina A brinda una porción de avena en comparación con una de leche? Den su respuesta en microgramos (µg): _____

_____

_____

Información nutrimental de la leche. 1 Porción		
		*% IDR
Contenido energético	601.75 kJ (142.0 kcal)	
Carbohidratos (Hidratos de carbono)	12.0 g	
Proteínas	7.75 g	10.30%
Lípidos (Grasas)	7.0 g	
Calcio	275 mg (miligramo)	34.37%
Sodio	125 mg	
Vitamina A (equivalentes de retinol)	150 µg (microgramo)	15.0%
Vitamina D	1.56 µg	

% Ingesta Diaria Recomendada (IDR) para la población mexicana, es decir, la cantidad que se recomienda consumir en un día.

* ¿Qué cantidad adicional de calcio tiene una porción de leche en comparación con una de avena? Exprésenla en miligramos (mg): _____

* Según la tabla, una porción de leche proporciona 150 microgramos de vitamina A, que es 15% de la IDR. Entonces, ¿cuántos microgramos de vitamina A se recomienda consumir en un día? _____

% Ingesta Diaria Recomendada (IDR) para la población mexicana.

Avena (1 porción)	*% IDR
Vitamina A (416 µg)	41%
Vitamina B1 (0.6 mg)	40%
Vitamina B2 (0.5 mg)	29%
Vitamina C (5 mg)	9%
Niacina (1.9 mg)	9%
Hierro (2.5 mg)	16%
Calcio (153 mg)	19%
Fósforo (256 mg)	32%
Ácido Fólico	11%
Magnesio	16%

Dato interesante

Un microgramo es la millonésima parte de un gramo.
1 ml = 0.000 001 g

❖ Elaboren preguntas que
se puedan responder
con la información que
hay en las tablas de la
página anterior.

_____
_____
_____
_____
_____

La cantidad y la calidad de la ingesta diaria recomendada (IDR) es suficiente
para obtener la energía que necesitas al moverte, crecer, realizar tus
actividades y para protegerte de enfermedades.

2. En parejas, resuelvan el siguiente problema.

Un paquete de hojas de papel tiene la
siguiente información:

500 hojas; 75 g/m²

Tamaño 216 x 279 mm.

❖ ¿Cuánto pesa cada hoja? _____

❖ ¿Cuánto pesa el paquete? _____

❖ El papel ¿es reciclado o biodegradable? _____

❖ Hagan una lista de los símbolos que se relacionan con el cuidado
   del ambiente. _____

19

¿Cuál es la **constante** de **proporcionalidad?**

Lo que conozco. Completa la tabla siguiente.

Peso de la bolsa de café (kg)	Precio
	$ 120
1.5	$ 180
5	
	$ 1 440

¿Cuál es el precio de un kilogramo de café? _____

---

1. En parejas, completen la tabla siguiente, la cual contiene información de cómo está distribuido el peso en una lata de atún en aceite. La lata más pequeña de atún pesa 170 g; de ellos $\frac{1}{4}$ es aceite y 75% es atún; estas proporciones son las mismas en todas las presentaciones de las latas de atún.

Peso total	Aceite	Atún
170 g		
$\frac{3}{4}$ kg		
		750 g
	1 kg	

❖ Si el peso de una lata grande de atún es de 1 880 g, ¿qué cantidad tiene el atún? _____

69

2. En equipos, realicen la actividad.

La siguiente figura se llamará A.

Completen la tabla considerando:

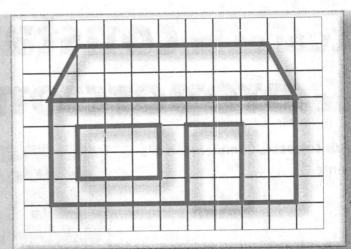

❖ Que la figura B es una copia a escala cuyos lados miden dos veces los de la figura A.

❖ Que la figura C es una copia a escala cuyos lados miden tres veces los de la figura B.
Auxíliate trazando en tu cuaderno las figuras B y C.

	Figura A	Figura B	Figura C
Altura de la pared	4		
Altura de la puerta	3		
Ancho de la puerta	2		
Ancho de la ventana	3		

❖ ¿Se pueden obtener las medidas de la figura C multiplicando por un mismo número las de la figura A?_____ ¿Cuál? _____

❖ Si la figura D es una copia a escala cuyos lados miden dos veces los de la figura C, ¿por cuánto se deben multiplicar las medidas de la figura A para obtener las de la figura D? _____

❖ ¿Existe un número que multiplicado por las medidas de la figura B dé como resultado las medidas de la figura A? _____ ¿Cuál?_____

❖ ¿Existe un número que multiplicado por las medidas de la figura C dé como resultado las medidas de la figura B? _____ ¿Cuál? _____

❖ Expliquen sus argumentos y escríbanlos en el siguiente recuadro:

_____
_____
_____
_____
_____
_____
_____
_____
_____
_____
_____
_____
_____
_____

3. En equipos, realicen la siguiente actividad.

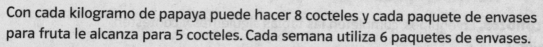

Doña Rosa vende cocteles de fruta y naranjadas.

Con cada kilogramo de papaya puede hacer 8 cocteles y cada paquete de envases para fruta le alcanza para 5 cocteles. Cada semana utiliza 6 paquetes de envases.

❖ ¿Cuántos kilogramos de papaya utiliza a la semana? _____

❖ Para una fiesta le pidieron a doña Rosa 180 cocteles. Compró 15 kg de papaya y 9 paquetes de envases. Determinen si le alcanzarán los productos comprados para preparar los cocteles del pedido._____

2. Para preparar 5 vasos de naranjada emplea un vaso de jugo de naranja y 4 vasos de agua. Completen la siguiente tabla y contesten las preguntas.

Vasos de jugo de naranja	Vasos de agua	Vasos de naranjada
1	4	5
		10
3		
		30
	28	
	40	

❖ ¿Qué operación deben hacer para obtener los números de la segunda columna a partir de los de la primera? _____

❖ ¿Qué operación deben realizar para obtener los números de la tercera columna a partir de los de la segunda?____
_____

❖ ¿Qué operaciones deben realizar para obtener los números de la tercera columna a partir de los de la primera? ____
_____

❖ Traten de pasar de la primera columna a la tercera con una sola operación. ¿Cuál es esa operación? _____

❖ Escriban el número que multiplicado por los de la segunda columna dé como resultado los de la primera. _____

El número que encontraron es una característica de una relación de proporcionalidad, y se llama **constante de proporcionalidad**.

Tablas y factores de proporcionalidad

Lo que conozco. En equipos, completen las tablas siguientes y contesten las preguntas.

En el año 2006 se rompió en México la marca mundial de reforestaciones simultáneas; participaron 13 121 personas en 15 estados de la República Mexicana.

Superficie en hectáreas (ha)	Número de árboles plantados por ha
2	2 400
4	4 800
6	
	9 600
10	

Número de personas	Número de árboles plantados
30	360
	600
	1 200
150	1 800

❖ ¿Cuántas hectáreas se requieren para plantar 14 400 árboles? _____

❖ ¿Cuántos árboles se pueden plantar en 20 ha? _____

❖ ¿Cuántos árboles plantaron 10 personas? _____

❖ ¿Cuántos árboles plantaron las 13 121 personas? _____

1. En parejas, completen la tabla siguiente.

La Ciudad de México tiene una de las demandas de agua más altas en el mundo, ya que en promedio cada habitante gasta más de 300 L por día, cuando el consumo en países desarrollados es de 200 L por día.

Para combatir el desperdicio, se debe reducir el consumo de agua, principalmente al bañarse, porque en una ducha de 20 minutos se pueden consumir hasta 200 L de agua.

	Minutos				
	2			·9	15
Litros de agua potable consumidos por una regadera normal	40	80	120	180	
Litros de agua potable consumidos por una regadera ahorradora	10	20	30	45	

❖ ¿Cuántos litros de agua dejan de desperdiciarse al bañarte con una regadera ahorradora si tardas 15 minutos? _____

❖ Cada pareja propondrá tres acciones que contribuyan a disminuir el desperdicio de agua en la escuela y en el hogar. Llegarán a un consenso y harán un cartel para colocarlo en el periódico mural.

2. En equipos, anoten los datos que faltan en la tabla siguiente; en ella se especifica el número de clavos que se requieren para fabricar 3 sillas de madera iguales.

* ¿Cuál es la constante de proporcionalidad? _____

Número de sillas	Número de clavos
3	24
6	
7	
9	
16	
19	
25	
30	
60	
100	

3. En equipos, anoten las cantidades que hacen falta en la tabla siguiente.

La casa de empeño A cobra 10% de interés sobre la cantidad prestada, mientras que la casa de empeño B cobra $\frac{9}{100}$ de lo que presta.

Cantidad prestada ($)	Casa de empeño A Intereses ($)	Casa de empeño B Intereses ($)
100		
200		
400		
500		
800		
1 000		
1 500		
2 000		

* ¿Cuál es la constante de proporcionalidad? _____
* Si en una casa de empeño por cada $ 300 pesos que te prestan te cobran de intereses $ 45 pesos.
* ¿Cuanto pagarías por $ 100?, _____
* ¿Cuanto pagarías por $ 1? _____

21

La media **aritmética** y la **mediana**

Lo que conozco. Mariana obtuvo en el primer bimestre las calificaciones siguientes:

Español	9
Matemáticas	9
Ciencias Naturales	8
Geografía	7
Historia	8
Formación Cívica y Ética	7

❖ ¿Cuál es el promedio que obtuvo ese bimestre? _____

1. En parejas, resuelvan lo siguiente.

Cuatro niños decidieron comprar en común un balón de futbol y aportaron las siguientes cantidades: $23, $72, $105 y $49.

❖ ¿Cuánto debería haber puesto cada uno para que todos hubieran dado la misma cantidad? _____

Un grupo de amigos se organizó para hacer una fiesta. Alberto llevó los vasos, que le costaron $15; Beatriz llevó tortas, que le costaron $75; Carlos compró un refresco grande y gastó $13; Diana compró un pastel de $80 y Enrique llevó dulces, que le costaron $10. Se repartirán los gastos equitativamente.

❖ ¿Con cuánto dinero tiene que cooperar cada uno? _____

❖ ¿A quiénes se les devolverá dinero? _____

❖ ¿Quiénes tienen que aportar más?_____

La **media aritmética** o **promedio** es la suma de los datos dividida entre el número total de datos.
Por ejemplo, si tenemos los datos siguientes: 28, 18, 12, 19 y 18
La suma de estos datos es 95, que dividida entre en número de datos (5) obtenemos que 19 es la **media aritmética**.

La mediana es el número que se obtiene después de ordenar los datos de mayor a menor y es el que encuentra a la mitad de la lista. Por ejemplo, si tenemos los datos ordenados 13, 15, 18, 20, 24, 26 y 28. La mediana es 20.

Cuando el número de datos es par, la mediana es el promedio de los datos que están a la mitad de la lista.

Por ejemplo, para obtener la mediana de los siguientes datos: 18, 12, 14, 25, 19, 24, 20 y 22 ordenamos de mayor a menor: 12, 14, 18, 19, 20, 22, 24, 25

Los datos que están a la mitad son 19 y 20, por lo que se requiere calcular el promedio que es 19.5; este número es la mediana.

2. Realiza la actividad siguiente.

En tu cuaderno construye una tabla de dos columnas; en la primera escribirás el nombre de cinco compañeros de clase y en la segunda, el número de hermanos que tiene cada uno.

❖ ¿Cuál es el promedio del número de hermanos? _____

❖ ¿Cuál es la mediana del número de hermanos? _____

3. Con los datos de la tabla siguiente determina la media y la mediana de cada columna.

Nombre	Edad	Estatura (m)	Peso (kg)
Claudia	15	1.56	60
Esther	27	1.60	57
Eva	35	1.65	60
Adrián	2	.80	12
Rodrigo	34	1.60	50
Juan	29	1.70	66
Carmen	10	1.35	40
Media			
Mediana			

4. En parejas, resuelvan el problema siguiente.

En una práctica de geometría, cinco estudiantes de un grupo miden cada uno la altura de un poste. Obtienen las siguientes medidas: 5.1 m, 4.7 m, 4.9 m, 5.0 m y 5.3 m.

❖ ¿Cuál sería una buena aproximación a la altura del poste? _____

❖ ¿Por qué? _____

_____

5. En la siguiente tabla se muestran los resultados de una encuesta que se aplicó a 11 familias. El tema de la encuesta fue el número de hijos que tienen. Trabajen en equipos para responder las preguntas que hay después de la tabla.

Familia	1	2	3	4	5	6	7	8	9	10	11
Núm. de hijos	1	2	2	1	3	13	2	15	2	2	3

❖ ¿Cuál es la media aritmética del número de hijos? _____

_____

❖ ¿Cuál es la mediana? _____

❖ ¿Cuál de las dos medidas anteriores representa mejor la información? _____

❖ ¿Por qué? _____

_____

_____

❖ ¿Por qué creen que el valor de la media aritmética no aparece en la tabla y es un número decimal? _____

_____

❖ ¿Cuántos valores son mayores que la mediana y cuántos son menores? _____

_____

_____

Instrucciones. Ahora aplicarás los conocimientos construidos durante el bloque. Resuelve los problemas siguientes.

El señor Ramiro tiene cinco depósitos de materiales reciclables como cartón, papel, fierro, etcétera. Durante una semana registró en una tabla lo que recolectó de hierro y cartón, como se muestra a continuación.

Nombre del depósito	Hierro (kg)	Cartón (kg)
La Aldea	213	128.2
Oro 1	198	130.75
Metálico	202	131
Gota de Cartón	187	130.09
Oro 11	205	129.15

❖ ¿En cuál de los depósitos recolectó doscientos dos kilogramos de hierro? _____

_____

❖ ¿Cuál fue la mayor cantidad de cartón que recolectó?

_____

❖ Para transportar el hierro lo comprimen en bloques del mismo peso, de la producción del Oro 11 faltaron 5 kg para formar 7 bloques. ¿Cuánto debe pesar cada bloque de hierro? _____

❖ Don Ramiro llevó el cartón que recolectó en el Metálico y le pagaron $327.50. ¿Cuánto le pagarán por el cartón recolectado en La Aldea? ____

_____

❖ ¿Cuál es el promedio de la cantidad de hierro que recolectó en todos sus depósitos? _____

_____

❖ ¿Qué cantidad representa la mediana del cartón que recolectó en todos sus depósitos? _____

_____

❖ Los bloques de hierro miden 9.5 cm de ancho, 20 cm de largo y 20 de altura, ¿cuál es el área total de las caras del bloque? _____

_____

Evaluación

A continuación resolverás problemas en los que aplicarás los conocimientos aprendidos en el bloque.

Instrucciones. Encierra la letra que corresponda a la respuesta correcta o completa lo que se te pide.

Promedio mensual del tipo de cambio del dólar estadounidense en 2008											
Enero	Febrero	Marzo	Abril	Mayo	Junio	Julio	Agosto	Septiembre	Octubre	Noviembre	Diciembre
10.91	10.77	10.74	10.52	10.44	10.33	10.22	10.61	10.61	12.62	13.08	13.41

1. Observa la tabla y contesta lo que se te pide.

❖ ¿Cuáles son los cuatro meses en los que el tipo de cambio estuvo más alto?
   a) Diciembre, noviembre, octubre y enero
   b) Septiembre, noviembre, enero y marzo
   c) Enero, marzo, agosto y septiembre
   d) Noviembre, abril, marzo y octubre

❖ La diferencia del promedio mensual del tipo de cambio entre los meses de febrero y marzo es de tres:
   a) Décimos
   b) Centésimos
   c) Milésimos
   d) Centenas

❖ Con la información de la tabla calcula:

   Media _____
   Mediana _____

2. Para pintar unas torres se necesita saber el total de la superficie para comprar la pintura necesaria. Si la torre tiene la siguiente forma:

El largo es la mitad de la altura y el doble del ancho.

❖ ¿Cuál es el área total del prisma rectangular?

    a) 13.72 dm²
    b) 137.2 m²
    c) 686 m²
    d) 6.86 dam²

❖ La altura de una de las caras de la píramide cuadrangular es $\frac{5}{4}$ de lo que mide uno de los lados de la base ¿Cuál es el área total de la pirámide?

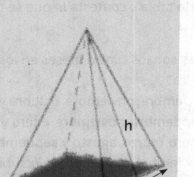

    a) 640 cm²
    b) 656 cm²
    c) 704 cm²
    d) 896 cm²

❖ ¿Cuál es el factor de proporcionalidad de los lados del prisma si se toma como valor unitario la medida del ancho?

    a) $\frac{1}{2}$
    b) 2
    c) $\frac{1}{4}$
    d) 4

Autoevaluación

En las casillas correspondientes, marca con una paloma ✓ lo que mejor refleje lo que piensas.

Contenidos procedimentales	Siempre lo hago	Lo hago a veces	Difícilmente lo hago
Resuelvo problemas que involucran proporcionalidad empleando números naturales y decimales.			
Uso las medidas de tendencia central (media aritmética y mediana) para interpretar mejor las noticias y los informes.			
Uso las medidas de tendencia central (media aritmética y mediana) para interpretar mejor las noticias y los informes.			

Contenidos actitudinales	Siempre lo hago	Lo hago a veces	Difícilmente lo hago
Respeto y valoro las costumbres y tradiciones de mis compañeros			
Cuando trabajo en equipo, aprendo de mis compañeros.			
Cuando trabajo en equipo, efectúo mejor las cosas que si las llevo a cabo individualmente.			
Cuando trabajo en equipo, efectúo mejor las cosas que si las llevo a cabo individualmente.			

Bloque III

Aprendizajes esperados

- **Determina, por estimación, el orden de magnitud de un cociente.**
- **Calcula porcentajes y los identifica en distintas expresiones (n de cada 100, fracción, decimal).**
- **Analiza los cambios de escala y sus efectos en la interpretación de gráficos.**
- **Utiliza el primer cuadrante del plano cartesiano como sistema de referencia para ubicar puntos.**
- **Resuelve problemas que implican conversiones del Sistema Internacional (SI) y del Sistema Inglés de Medidas.**

22

Dos por dos

son cuatro

Lo que conozco. Resuelve los siguientes problemas.

❖ Si se cuenta de 3 en 3, iniciando por el 3, nombramos a los múltiplos de 3. El primer número es 3, luego 6 y así sucesivamente. ¿Se nombrará al número 28? _____ ¿Por qué? _____

❖ Si se cuenta de 5 en 5, ¿se llegará al número 45? _____ ¿Y al 95? _____ ¿Y al 84? _____ ¿Por qué? _____ _____

❖ Carmen y Paco juegan en un tablero numerado de 1 en 1 que inicia en 0 y acaba en el 100; ella utiliza una ficha verde que representa un caballo que salta de 4 en 4 y él una ficha azul que representa un caballo que salta de 3 en 3. ¿Puede haber una trampa entre el 20 y el 25 en la que ninguno de los dos caballos caiga? _____ ¿Por qué? _____ _____

❖ Un caracol sube a una barda de 1.5 m de altura; cada 3 segundos (s) avanza 2 cm. ¿Cuánto avanzará en 10 s? _____, ¿en 12 s? _____ ¿y en 20 s? _____ ¿Cuánto tiempo le tomará subir toda la barda? _____

❖ Dos líneas de autobuses tienen la misma ruta de 216 cuadras. Los verdes hacen paradas cada 6 cuadras y los azules cada 8. ¿En qué cuadras coinciden ambos? _____

❖ Si desde la terminal voy a la cuadra 105 y quiero caminar lo menos posible, ¿cuál de los autobuses me conviene? _____

❖ Revisen las respuestas que escribieron y comparen los procedimientos en caso de tener resultados diferentes.

1. En equipos, analicen la siguiente tabla de multiplicaciones y respondan lo que se pide.

x	1	2	3	4	5	6	7	8	9	10
11	11	22	33	44	55	66	77	88	99	110
12	12	24	36	48	60	72	84	96	108	120
13	13	26	39	52	65	78	91	104	117	130
14	14	28	42	56	70	84	98	112	126	140
15	15	30	45	60	75	90	105	120	135	150
16	16	32	48	64	80	96	112	128	144	160
17	17	34	51	68	85	102	119	136	153	170
18	18	36	54	72	90	108	126	144	162	180
19	19	38	57	76	95	114	133	152	171	190
20	20	40	60	80	100	120	140	160	180	200

❖ ¿El número 37 está en la columna del número 3? _____
El 37 ¿es múltiplo de 3? _____

❖ ¿Con qué cifras terminan los múltiplos de 10? _____

❖ ¿Con qué cifras terminan los múltiplos de 5? _____

❖ ¿Qué característica común hay en la última cifra de los múltiplos de 2? _____

❖ Al sumar los dos dígitos de cada uno de los múltiplos de 3, ¿qué similitud encuentras? _____

❖ La suma de todos los dígitos de los múltiplos de 6, ¿es múltiplo de 2 y 3 al mismo tiempo? _____

❖ Qué característica común tienen los múltiplos de 9? _____

2. En parejas, resuelvan los siguientes problemas.

a) Escriban en los espacios los números correspondientes que están abajo de cada enunciado de tal modo que éste sea verdadero.

_____ es múltiplo de _____ porque _____ x _____ = _____

| 4 | 28 | 7 |

_____ es múltiplo de _____ porque _____ x _____ = _____

| 4 | 20 | 5 |

_____ es múltiplo de _____ porque _____ x _____ = _____

| 8 | 6 | 48 |

_____ es múltiplo de _____ porque _____ x _____ = _____

| 27 | 9 | 3 |

Observa que en cada caso hay dos números que se pueden cambiar de lugar y el resultado no se altera.

❖ ¿Cuáles son éstos? _____

b) Subrayen la opción en que aparecen 13 múltiplos consecutivos del mismo número.

1, 2, 4, 6, 8, 10, 12, 14, 16, 18, 20, 22, 24.

3, 6, 9, 10, 12, 15, 18, 21, 24, 27, 30, 33, 36.

5, 10, 15, 20, 25, 30, 35, 40, 45, 50, 55, 60, 65.

15, 25, 35, 45, 55, 65, 75, 85, 95, 105, 115, 125, 135.

❖ ¿De qué número fueron los múltiplos? _____

RETO

De acuerdo con las siguientes condiciones contesta la pregunta.

❖ En un grupo de ranas, una de ellas está cantando, y la cantidad de ranas que no está cantando es múltiplo de 4.

❖ Hay más de 3 ranas y menos de 13.

❖ El número total de ranas es múltiplo de 3.

❖ ¿Cuántas ranas son? _____

Un múltiplo de un número a es el número que se obtiene multiplicando el número a por cualquier otro número natural.

Identifica las diferencias y el orden entre las fracciones y los números decimales. Puedes encontrar números fraccionarios o decimales entre dos números dados.

23

Ordeno **fracciones y decimales**

Lo que conozco. En parejas, contesten lo que se pide.

A los alumnos de un grupo de sexto grado se les solicitó que dijeran su estatura. Los que la sabían la registraron de la siguiente manera:

Daniel, 1.4 m; Alicia, 1 m con 30 cm; Fernando, $1\frac{1}{4}$ m; Mauricio y Pedro, 1.50 m, y Sofía, $1\frac{1}{5}$ m.

a) ¿Quién es el más bajo de estatura? _____

b) ¿Qué alumnos tienen la misma estatura? _____

c) Teresa no sabe con exactitud su estatura, pero al compararse con sus compañeros se da cuenta de que es más alta que Daniel y más baja que Pedro. ¿Cuánto mide ella aproximadamente?_____

1. Ahora, realicen las siguientes actividades.

En una recta numérica marquen cada pareja de números naturales e identifiquen entre ellos un tercer número natural.

6 y 8 ⟶

4 y 7 ⟶

❖ ¿Cuántos números naturales hay entre el 15 y el 30? _____
_____

En una recta numérica marquen cada pareja de números decimales e identifiquen entre ellos un tercer número decimal.

1.2 y 1.3

1.23 y 1.24

❖ ¿Puedes encontrar números con una cifra decimal entre 5 y 6? _____ Anótalos _____

❖ ¿Puedes encontrar 15 números con un decimal entre 5 y 6? _____ Anótalos _____

❖ ¿Cuántos números con dos cifras decimales puedes encontrar entre 5 y 6? _____

2. En equipos, contesten las preguntas siguientes.

En la recta siguiente localicen las fracciones: $\frac{3}{6}$, $\frac{1}{6}$, $\frac{2}{6}$, $\frac{5}{6}$ y $\frac{1}{2}$.

0   1

En la recta siguiente localicen los decimales: 3.4, 3.5, 3.6, 3.55 y 3.45.

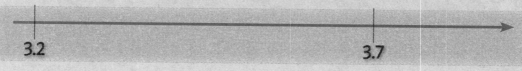

3.2   3.7

a) Localicen $\frac{1}{12}$ en la recta 1. _____

b) Encuentren el punto medio entre las fracciones $\frac{1}{5}$ y $\frac{9}{5}$. _____

c) ¿Qué fracción con denominador 24 se ubica inmediatamente a la izquierda de $\frac{1}{12}$? _____

d) Escriban una fracción con denominador 12 que esté entre $\frac{1}{6}$ y $\frac{2}{6}$. _____

e) ¿Qué estrategias utilizaste para localizar los números 3.55 y 3.45? _____
_____

f) ¿Cómo localizarían 3.38? _____

g) ¿Qué números de dos cifras decimales son mayores que 3.35 y menores que 3.4?
_____

h) ¿Qué números de dos cifras decimales son mayores que 4.14 y menores que
4.152? _____

i) ¿Qué número con tres cifras decimales es mayor que 7.12 y menor que 7.122?
_____

j) ¿Podrá encontrarse siempre un número decimal entre otros dos distintos? _____

k) ¿Cómo pueden encontrar uno?_____

Verifiquen las respuestas de la actividad anterior. De ser necesario, corrijan
los errores.

3. Localiza en la recta las fracciones con denominador 10 de entre las que se muestran a
continuación.

$$\frac{1}{2}, \frac{3}{4}, \frac{1}{8}, \frac{1}{4}, \frac{7}{8}, 0.8, 0.6, 0.72, 0.3 \text{ y } 0.48$$

0

* Del grupo de fracciones que se indicaron en la recta, ¿cuál es la menor? _____
* ¿Cuál es la mayor? _____
* De las fracciones $\frac{3}{4}$ y $\frac{7}{8}$, ¿cuál es la mayor? _____
* ¿Qué fracción es menor que $\frac{1}{2}$? _____
* Encuentra un número que esté entre $\frac{1}{2}$ y 0.48 _____
  y otro que se localice entre $\frac{7}{10}$ y $\frac{9}{10}$ _____

4. En grupo contesten las preguntas y escriban una conclusión en su cuaderno.

❖ ¿Habrá siempre un decimal entre otros dos? _____

❖ ¿Cómo se podrá encontrar ese número? _____

Los números decimales y los fraccionarios no tienen sucesor ni antecesor.

Problemas de **conteo...**
¿Cuántos **son?**

Lo que conozco. En una nevería se venden los siguientes sabores: fresa, vainilla, limón y chocolate. Encuentren todas las formas diferentes de servir un helado de dos sabores distintos.

¿Obtuvieron la misma respuesta?_____

¿Por qué? _____

1. En parejas, resuelvan los problemas.

❖ Rosita escribió en una servilleta los 8 números del teléfono de un anuncio y le dio la servilleta a su hermano Gonzalo, quien accidentalmente borró los últimos dos números. Ayúdenla a encontrar todas las combinaciones de dos cifras que tendría que agregar al número para dar con el teléfono del anuncio si recuerda que el penúltimo número era impar y múltiplo de 3.

❖ Eduardo compró 6 flores distintas para obsequiarle una a cada una de sus cuatro amigas. ¿De cuántas formas distintas lo puede hacer? _____

_____

2. Resuelve la siguiente actividad.

¿De cuántas maneras se pueden acomodar 36 cubos iguales para formar un prisma cuadrangular?

Prisma	Lado de la base	Altura
1		

¿Cuántos prismas diferentes encontraste?

_____

_____

Expliquen cómo resolvieron cada problema de esta lección.

RETO

La suma de cuatro números es 40. Todos son diferentes y mayores que 5; uno de ellos es un número par mayor que 15 pero menor que 19. Con estas características, encuentren todas las formas diferentes de elegir estos cuatro números.

25

Rapidez o **exactitud** para encontrar un **cociente**

Lo que conozco. ¿Cuántas cifras tiene el resultado?

Organizados en equipos, estimen cuál es el número de cifras de los cocientes siguientes. Expliquen cómo llegaron a sus respuestas.

División	Número de cifras del cociente
837 ÷ 93 =	
10 500 ÷ 250 =	
17 625 ÷ 75 =	
328 320 ÷ 380 =	
8 599 400 ÷ 950 =	
3 380 ÷ 65 =	
3 026 ÷ 34 =	
16 800 ÷ 150 =	
213 280 ÷ 860 =	

1. Con el mismo equipo, estimen ahora los cocientes de las siguientes divisiones, sin emplear lápiz, papel ni calculadora.

Verifiquen sus respuestas y expliquen de qué manera obtuvieron sus resultados.

División	Estimación del cociente
3 380 ÷ 65 =	
3 026 ÷ 34 =	
16 800 ÷ 150 =	
213 280 ÷ 860 =	

2. En parejas, seleccionen el resultado exacto de las siguientes divisiones, sin utilizar lápiz y papel ni calculadora para resolverlas. Escriban sus razonamientos.

$840 \div 20 =$

    a) 41   b) 40   c) 42   d) 50

___

$1\,015 \div 35 =$

    a) 19   b) 21   c) 29   d) 35

___

$5\,750 \div 125 =$

    a) 45   b) 46   c) 47   d) 50

___

$9\,984 \div 128 =$

    a) 66   b) 78   c) 82   d) 108

___

$12\,462 \div 93 =$

    a) 124   b) 125   c) 134   d) 135

___

$12\,420 \div 540 =$

    a) 17   b) 19   c) 23   d) 30

___

Completa la tabla.

Escribe primero la estimación del cociente y después el resultado exacto y compáralos para saber qué tan cercana fue tu estimación.

Dividendo	Divisor	Cociente	
		Estimado	Exacto
9 058	49		
1 087	109		
208 015	4 879		
29 871	712		

¿Cuáles **son** tus **coordenadas?**

Lo que conozco. Organizados en equipos, respondan las preguntas. Los tres puntos de colores (verde, ambar y rojo) representan un semáforo.

❖ Si están en el cruce de las dos avenidas, ¿cuántas cuadras deben caminar para llegar al semáforo 3?

_____

Para llegar al semáforo 1, ¿cuántas deben caminar?_____

¿Cuántas cuadras deben caminar para llegar al semáforo 5? _____

❖ Escriban las instrucciones que darían a otro equipo para llegar a los semáforos 4 y 2 partiendo del cruce de las avenidas.

❖ Digan a un equipo las instrucciones que escribieron en el punto anterior y después inviertan los papeles.

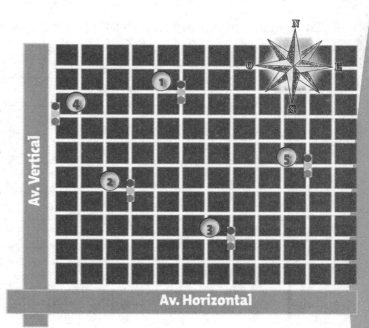

❖ Desde el cruce de las avenidas, caminen 5 cuadras sobre la avenida horizontal y 6 de manera paralela a la vertical; en ese punto coloquen un semáforo. A este punto se le llama **par ordenado** (5,6). Ahora, a partir de ahí, caminen 4 cuadras hacia el oeste y 3 hacia el norte. Al punto donde llegaron se le llama **par ordenado** (1,9), o simplemente (1,9).

❖ ¿Cuáles son las coordenadas de los puntos en donde se ubican los semáforos?_____

Al concluir, verifiquen sus respuestas.

El plano cartesiano, llamado así en honor a René Descartes, contiene dos rectas numéricas: una horizontal y otra vertical. La recta horizontal se llama eje "*x*" o eje de las abscisas; el vertical se llama eje "*y*" o eje de las ordenadas. Cada punto en el plano cartesiano está representado por un par de números: la proyección del punto al eje *x*, llamada abscisa, y la proyección al eje *y*, llamada ordenada. La abscisa y la ordenada también se conocen como las coordenadas de un punto. (abscisa, ordenada)

1. En la siguiente representación del primer cuadrante del plano cartesiano, une los puntos mencionados en cada pregunta y contéstalas.

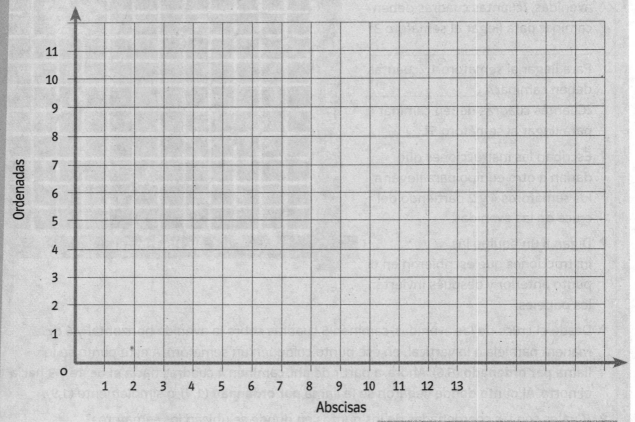

Los puntos con coordenadas (0,7), (3,7), (7,7), ¿forman una línea recta? ¿De qué tipo?_____
Los puntos con coordenadas (0,9), (3,9), (7,9), ¿forman una línea recta? ¿De qué tipo?_____
¿Cómo es esta recta con respecto a la anterior?
_____
Los puntos con coordenadas (0,3), (3,3), (7,3), ¿forman una línea recta?_____

Da las coordenadas de otros tres puntos que estén en una recta paralela a las anteriores.

_____

_____

_____

Los puntos con coordenadas (10, 3), (12, 4), (16, 6), ¿forman una línea recta?_____

Los puntos con coordenadas (10, 1), (12, 2), (16,4), ¿forman una línea recta?_____

Los puntos con coordenadas (10, 5), (12, 6), (16, 8,) ¿forman una línea recta?_____

Da las coordenadas de otros tres puntos que estén en una recta paralela a las anteriores.

_____

_____

_____

Los puntos con coordenadas (1, 0), (1, 2), (1, 4), ¿forman una línea recta?_____

Los puntos con coordenadas (5, 0), (5, 2), (5, 4), ¿forman una línea recta?_____

Los puntos con coordenadas (3, 0), (3, 2), (3, 4), ¿forman una línea recta?_____

Da las coordenadas de otros tres puntos que estén en una recta paralela a las anteriores.

_____

_____

_____

Los puntos con coordenadas (10, 12), (13, 10), (16, 8), ¿forman una línea recta? _____

Los puntos con coordenadas (11, 12), (14, 10), (17, 8), ¿forman una línea recta? _____

Los puntos con coordenadas (12, 12), (15, 10), (18, 8), ¿forman una línea recta? _____

Da las coordenadas de otros tres puntos que estén en una recta paralela a las anteriores.

_____

_____

_____

Menciona las características que deben tener las coordenadas de tres puntos para estar en una recta paralela al eje horizontal. ¿Y cuáles deben tener para estar en una recta paralela al eje vertical?

_____

_____

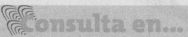 Consulta en...

http://redescolar.ilce.edu.mx/educontinua/mate/lugares/mate1g/mate1g.htm
En esta página encontrarás juegos que te permitirán familiarizarte con el sistema de referencia del plano cartesiano.

2. Traza en tu cuaderno el primer cuadrante del plano cartesiano. En cada unidad:

❖ Localiza los puntos con coordenadas $(\frac{1}{2}, 1)$, $(\frac{5}{2}, 1)$ y $(\frac{3}{2}, 2)$. y únelos con líneas. ¿Cuál es el área de la figura? _____

❖ Localiza los puntos $(0, 1)$, $(2,1)$ y $(1, 2)$ y únelos con líneas ¿Cuál es el área de la figura delimitada por estas líneas? _____

❖ Localiza los puntos $(\frac{1}{2}, \frac{1}{2})$, $(\frac{5}{2}, \frac{1}{2})$, $(\frac{5}{2}, \frac{5}{2})$ y $(\frac{1}{2}, \frac{5}{2})$, y márcalos con un punto. ¿Qué figura se forma al unirlos con rectas? _____
¿Cuál es el área de la figura? _____

❖ Localiza los puntos $(\frac{5}{2}, 1)$, $(6, \frac{5}{2})$, $(92, 4)$ y $(3, \frac{5}{2})$ y márcalos. ¿Qué figura se forma al unirlos con rectas? _____

❖ Marca los puntos $h (\frac{3}{2}, 3)$; $i (\frac{13}{2}, 4)$; $j (32, \frac{13}{2})$ y $k (172, \frac{15}{2})$. Une con líneas los puntos. ¿Qué figura se forma? _____ ¿Cuál es el área de la figura? _____

3. En parejas, contesten lo siguiente.

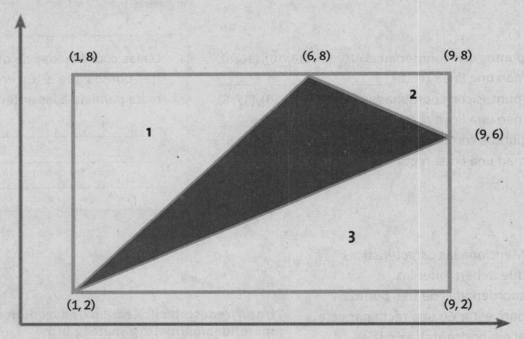

❖ ¿Cuánto mide el área de los triángulos 1, 2 y 3? _____

❖ ¿Cuánto mide el área del triángulo azul? _____

27

De centímetros a pulgadas

Lo que conozco. Escribe con qué unidades puedes medir:

❖ Longitud _____

_____

Don Juan fue a la ferretería a comprar una manguera para regar su jardín. Después de observar varias, eligió la que muestra la siguiente etiqueta.

MANGUERA
83 PIES
DIÁMETRO INTERIOR
1/2 IN.

❖ ¿Cuántos metros de longitud tiene la manguera que compró don Juan?

Observa que: 1 pie (ft) = 30.48 cm

_____

❖ ¿Cuántos centímetros tiene de diámetro interior la manguera?

Observa que: 1 pulgada (in) = 2.54 cm

_____

El siguiente dibujo representa el velocímetro, en millas, del automóvil de don Juan.

❖ ¿Cuál es la velocidad máxima, en kilómetros por hora, del automóvil de don Juan?

Observa que: 1 milla (mi) = 1 609.34 m

_____

2. En parejas, resuelvan el problema siguiente.

Luis pronto cumplirá años y sus padres le están organizando una fiesta. Ayúdenles a seleccionar la presentación de galletas y de jugos que más convenga, considerando su precio y contenido. Pueden consultar las equivalencias en los recuadros y utilizar su calculadora.

Galletas:

Presentación 1: caja de 44 onzas a $62.90

Presentación 2: caja de 1 kg a $48.00

Presentación 3: caja de 1 libra y 10 onzas a $37.50

1 libra (lb) = 0.454 kg

1 onza (oz) = 0.0283 kg

Jugos:

Presentación 1: paquete de 4 piezas de 6 onzas cada uno a $9.40

Presentación 2: una pieza de 1 litro a $12.00

Presentación 3: una pieza de 1 galón a $47.10

1 onza líquida (fl.oz) = 29.57 mL

1 galón (gal) = 3.785 L

3. En equipos, completen la tabla siguiente.

Midan algunos clavos o tornillos de distintos tamaños, con una regla graduada en centímetros y pulgadas.

❖ ¿Cuál es el cociente de la medida en pulgadas entre la medida en centímetros? _____

❖ ¿Qué relación hay entre la longitud en pulgadas de los clavos o tornillos y la longitud en centímetros? _____

	Longitud del clavo o tornillo					
Centímetros						
Pulgadas						
Cociente						

Las unidades básicas del Sistema Internacional de Medidas (SI) son: el metro (m), para las mediciones de longitud, y el kilogramo (kg) para las mediciones de masa. El litro, aunque no es una unidad básica del SI, es permitido por dicho sistema para medidas de volumen.

Longitud	Masa	Capacidad
1 pulgada (in) = 2.54 cm	1 libra (lb) = 0.454 kg	galón (gal) = 3.785 L
1 pie (ft) = 12 in		
1 yarda (yd) = 3 ft	onza (oz) = 0.0283 kg	Onza líquida (fl oz) = 29.57 mL
1 milla (mi) = 1.760 yd		

4. En parejas, completen la tabla.

Sistema Inglés	Sistema Internacional
1 pulgada (in)	_____2.54_____ cm
1 pie (ft)	_____ cm
1 yarda (yd)	_____ cm
1 libra (lb)	_____ gr
1 onza (oz)	_____ gr
1 galón (gal)	_____ mL
1 onza líquida (fl oz)	_____ L

5. En equipos, resuelvan los siguientes problemas.

❖ Cuando los tapetes artesanales que se elaboran en Tlaxcala se compran para llevarlos a Estados Unidos, donde se utiliza el Sistema Inglés de medida, las dimensiones deben registrarse en sus unidades.
Un tapete mide 245 cm x 165 cm, ¿cuáles son las dimensiones equivalentes en el Sistema Inglés? _____in x _____in

Investiga a cuánto equivale un dólar americano en pesos mexicanos. Con ese dato resuelve los siguientes problemas.

❖ Si quieren vender los tapetes en Estados Unidos en $965 cada uno, ¿cuál será el precio en dólares del tapete? _____

❖ De la venta de diferentes tipos de tapetes en Estados Unidos han recibido US$ 15 250. Cuando vayan al banco y cambien los dólares por pesos, ¿cuánto dinero recibirán? _____

❖ María está acomodando sus libros en una repisa que mide 2 ft de largo. Si cada libro ocupa aproximadamente 4 cm, ¿cuántos libros se podrán acomodar en dicho librero? _____

❖ El peso y la estatura para los niños de 11 años puede estar entre alguno de los siguientes rangos:

Rango 1		Rango 2		Rango 3	
Estatura	Peso	Estatura	Peso	Estatura	Peso
4.36 ft	65.48 lb	1.53 yd	78.04 lb	58.27 in	96.78 lb

Tapete de Tlaxcala
245 cm x 165 cm

¿En qué rango se encuentran ustedes? _____

¿Cuánto mide y cuánto pesa cada uno de ustedes? _____

_____

_____

❖ Con un litro de pintura se alcanza a cubrir una superficie de aproximadamente 8 m². Si el litro de pintura cuesta $90 y un galón cuesta $300, ¿qué presentación conviene comprar si se va a pintar una pared de 9 m x 15 m? _____

❖ Para la fiesta de Felipe se compraron 7 paquetes de 50 vasos desechables, de 10 oz cada uno. Si todos los vasos se ocuparon al máximo de su capacidad una vez y no sobró agua, ¿cuántos litros de agua se prepararon para la fiesta? _____

Y ¿cuántos galones? _____

RETO

Completa la siguiente tabla:

Cantidades	yd	cm	kg	L	mL	gal
30 ft						
3 m						
12 L						
90 oz						
80 lb						

28

Descuentos y porcentajes

Lo que conozco. Responde las siguientes preguntas.

❖ En una huerta me regalan naranjas, si ayudo a recolectarlas.
¿Qué me conviene más? ¿Que me den 3 naranjas por cada 12, o bien, que me den 5 por cada 20? _____

❖ ¿Por qué? _____

❖ ¿Cuántas naranjas me darán por cada 100 que recolecte? _____

1. En equipos, resuelvan los problemas siguientes.

❖ Un almacén anuncia 25% de descuento en todos sus artículos. El Impuesto al Valor Agregado (IVA) en México es de 16%. ¿Cuánto cuesta un refrigerador si su precio de lista sin IVA es de $4 200? _____

❖ Pepe logró ahorrar $500 y con ese dinero decidió comprar un reloj que costaba $450, y al pagarlo se enteró que tenía un descuento. ¿Qué porcentaje del precio del reloj le descontaron, si al salir de la tienda aún tenía $140 de sus ahorros? _____

❖ El precio de un producto es de $261 con el IVA incluido. El cliente le pide al empleado que le haga una factura con el IVA desglosado. ¿Cuál es el precio del producto sin IVA? _____

❖ Al terminar, comparen sus respuestas con otros equipos y expliquen la manera como resolvieron cada problema._____

Un **por ciento** es una centésima parte de algo.
Por ejemplo, 10% de 50 es 5, y 10% de 25 es 2.5.
Un porcentaje puede representarse con el símbolo %
o escribiendo una fracción cuyo denominador es 100.

$$5\% \quad \text{o} \quad \frac{5}{100}$$

2. En parejas, resuelvan el problema siguiente. La mueblería "La Luz" vende muebles y electrodomésticos en pagos. El precio de tres de los artículos que vende se muestra en la siguiente tabla, así como el porcentaje en que se incrementa el precio si se decide pagarlo en plazos. Completen la tabla.

Artículo	Precio de contado	Tres meses 10%	Seis meses 20%	Nueve meses 30%	Doce meses 40%
Estufa	$4 000		$800		
Televisor		$650	$1 300		
Refrigerador				$ 2 700	$ 3 600

Expliquen el procedimiento que siguieron para completar la tabla _____
_____
_____
_____
_____

3. Utilizando la información contenida en la tabla, contesta las preguntas siguientes:

❖ Si la mueblería "La Luz" tuviera plazos de 15 meses para pagar y el porcentaje se incrementara en la misma proporción, ¿en qué porcentaje se incrementaría el precio de contado para obtener el precio final? _____

❖ Alberto compró un horno de microondas. Si decide cubrir su costo a seis meses, deberá pagar $ 1 440. Si decide pagarlo a un año, ¿cuánto deberá pagar en total por él? _____

❖ ¿Cuál es el pago de contado de una grabadora que, si se paga a tres meses, tendría un precio total de $1 044? _____

❖ ¿Cuánto es 3% de 4 000? _____

❖ ¿Cuánto es 5% de 4 000? _____

❖ Si 95 es 5% de cierta cantidad, ¿cuál es esa cantidad? _____

❖ Si se sabe que 50% de cierta cantidad es 4 500, ¿a cuánto equivalen 25% y 75% de esa misma cantidad? _____ ¿Cómo lo calculaste? _____
_____

❖ Sabiendo que 235.85 es 50% de cierta cantidad, ¿a cuánto equivalen 10%, 20%, 30% y 40%? _____

❖ ¿Cómo se puede calcular 35% de 500, si se conoce su 5%? _____
_____

❖ ¿Cómo se puede calcular 35% de cualquier cantidad, conociendo su 5%?
_____
_____

❖ Una tarjeta te ofrece 10% de descuento en un restaurante en donde tu comida costó $200. Si después del descuento decides añadir una propina de 10%, ¿cuánto pagarás al final? _____

4. Con uno de tus compañeros diseña un procedimiento para calcular:

❖ 2% de 8 000 _____

❖ 40% de 5 400 _____

❖ 80% de 7 350 _____

❖ 125% de 800 _____

❖ 165% de 100 _____

❖ 210% de 1 250 _____

❖ 300% de 6 820 _____

En grupo, comparen sus procedimientos y, con apoyo del maestro, verifíquenlos.

5. En equipos, resuelvan los siguientes problemas.

a) Juan trabaja como pintor. Le pidieron que pinte 20% de la superficie de una pared en forma de rectángulo con dimensiones de 2.10 m x 3 m. ¿Cuántos cm² debe pintar?

b) Con 75% de una cubeta grande de pintura Juan pintó una barda de 30 metros de largo y 4 metros de altura. ¿Cuántos metros cuadrados más alcanzará a pintar Juan con lo que sobró de pintura?_____

c) En el libro *¿Y el medio ambiente? Problemas en México y el mundo*, la Secretaría de Medio Ambiente y Recursos Naturales (Semarnat) publicó que las zonas metropolitanas produjeron 45% del total de basura que se generó en el año 2006, que equivale a 16.2 millones de toneladas; las ciudades pequeñas generaron 9% y las zonas rurales y semirrurales, 14%. ¿Cuántas toneladas de basura, aproximadamente, se produjeron en las ciudades pequeñas? _____
¿Cuántas toneladas de basura hubo en las zonas rurales y semirrurales?
_____

Fuente: Semarnat, *¿Y el medio ambiente? Problemas en México y el mundo*, México, 2007, p. 143.

d) El *Correo Cafetalero* es el órgano informativo oficial del Sistema Productor de Café. En el año 2010 publicaron las cifras de exportación de café para el mes de septiembre de ese año, que son las siguientes:

Exportaciones

Volumen

Mes	2008–2009 (sacos de 60 kg)	2009–2010 (sacos de 60 kg)
Septiembre	197 489	148 172

Valor comercial

Mes	2008–2009 (sacos de 60 kg)	2009–2010 (sacos de 60 kg)
Septiembre	486 867	406 371

❖ ¿En qué porcentaje disminuyó la exportación de 2010 respecto a la de 2009?

_____

❖ Se espera que la exportación de café para el mes de septiembre de 2011 sea 26.5% superior al mismo mes del año 2010. ¿Cuántos kilogramos de café se tendrán para producir?

_____

e) Completa la siguiente tabla y contesta las preguntas.

❖ ¿Qué porcentaje de café exportó México entre Bélgica, Francia e Indonesia?_____

❖ ¿A qué países exportó 85.1% de café?_____

❖ ¿Cuáles fueron los cinco países a los que se exportó menos café? Señálalos.

❖ ¿A qué países exportó el 45.48% de café? _____

_____

_____

Fuente: http://amecafe.org.mx/documentos/comercializacion/Exportaciones/CORREOCAFETALERO%20VI%20-%20037%20EXPORTACIONES%20SEPTIEMBRE%202010.pdf

Países a los que México exportó café

País	kg	%
Estados Unidos	4 461 156	
Bélgica	643 908	9.71
Finlandia		3.12
Canadá	193 695	
Puerto Rico	191 231	2.88
España		1.82
Costa Rica		1.22
Francia	79 806	
Indonesia	72 342	
Reino Unido	71 628	1.08
Otros		7.66
Total	6 628 516	100.00

29

Pague sólo la mitad
o 50% de su precio total

Lo que conozco. Resuelve.

❖ Si a un producto le aumentan 25% y luego le reducen 25%, ¿queda en el mismo precio? _____

   ¿Por qué? _____

❖ ¿Será lo mismo 35% de 350 que 45% de 450? _____

   ¿Por qué? _____

❖ Si en un artículo se aplica 10% de descuento, ¿qué le conviene más al comprador, que se efectúe primero el descuento y luego se cobre el IVA, o que primero se cobre el IVA y luego se aplique el descuento?

   _____

   ¿Por qué? _____

1. En equipos, resuelvan los problemas siguientes.

a) La tabla contiene los diferentes precios y descuentos de una licuadora en varias tiendas, así como algunas operaciones equivalentes para obtener el respectivo descuento. Analícenla y complétenla. Pueden usar su calculadora.

Precio original	Cálculo del descuento			Descuento a aplicar	Precio con descuento
	Porcentaje	Fracción	Decimal		
$800		$800 \times \frac{25}{100}$		$200	$600
$890	890 x 20%			$178	
$750			750 x 0.10		
$721					$684

b) En equipos, resuelvan el siguiente problema.

Petróleos Mexicanos informa en Internet que la gasolina Magna ha registrado incrementos de forma continua y gradual. En diciembre de 2003, el litro tenía un precio de $5.12. En la siguiente tabla, se indican los aumentos de 2003 a 2008. Encuentren los nuevos precios para cada fecha; tomen en cuenta las cantidades hasta centésimos. Pueden usar su calculadora.

Fecha	Aumento	Nuevo precio
Diciembre de 2004	16.21 %	
Diciembre de 2005	4.03 %	
Diciembre de 2006	19.71 %	
Diciembre de 2007	7.01%	
Diciembre de 2008	4.05%	
Diciembre de 2009		$ 7.77
Diciembre de 2010		$ 8.76

Fuente: ri.pemex. com/files/dcpe/petro/epublico_esp.pdf

2. Las siguientes rectas numéricas tienen la misma unidad de longitud, pero están graduadas de diferente forma. Localiza en ellas los puntos de acuerdo con la recta que corresponda.

$$\frac{1}{10}, \frac{3}{5}, 0.5, 0.2, \frac{4}{10}, \frac{9}{10}, 0.25, \frac{1}{2}, 0.6, 0.75 \text{ y } \frac{3}{10}.$$

* Escribe $\frac{1}{2}$ en forma decimal_____, y 20% en forma decimal. _____
* Escribe 0.25 en forma de fracción.____
* Expresa $\frac{3}{5}$ en porcentaje. _____
* ¿Qué porcentaje representa 0.25? ____
* ¿Cuáles son las maneras que empleamos para representar y calcular el porcentaje en esta actividad? _____
_____
_____

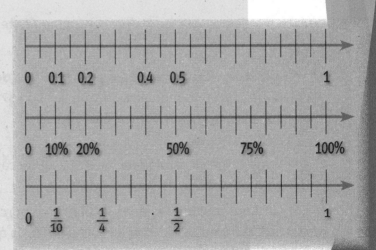

3. En equipos elaboren tarjetas de 10 cm x 5 cm, aproximadamente; anoten en ellas los datos de la imagen y jueguen Memoria. Pueden incluir más papeletas para hacer más interesante el juego. Por ejemplo, las tarjetas 80% y 0.8 son una pareja.

5%	0.13	80%	200%
0.5	0.2	0.05	0.8
2.0	50%	0.08	.25
25%	20%	8%	1.33
	13%	133%	

4. En parejas, contesten las preguntas siguientes.

❖ Alberto quiere pagar el enganche de 15% de un refrigerador y en la tienda hay tres modelos. Sus precios son $7 890; $9 100 y $8 305. ¿Cuáles son los enganches correspondientes?

_____

❖ Jorge carga su camioneta, de 3 500 kg de capacidad, con 4 200 kg. ¿Cuál es el porcentaje de sobrecarga?_____

❖ Las llantas sobrecargadas en el mismo porcentaje que lo hace Jorge durarán sólo 58% de los 80 000 kilómetros que normalmente duraría.

❖ Qué porcentaje de vida de la llanta está desperdiciando Jorge por sobrecargarla?_____

❖ Cuántos kilómetros durarán las llantas de la camioneta si se sigue sobrecargando de esa forma?

❖ Si 2% de 8 550 es 171, ¿cuánto es 20%? _____ Y ¿cuánto es 200%? _____

❖ Raúl calculó 7% de 2 500, que es 175. ¿Cuánto es 70% de esa cantidad? Y ¿a cuánto equivale 700%?_____

RETO

Escribe sobre la línea una tercera forma de escribir un porcentaje.

• 5% se puede representar por 0.05 y _____

• 250% se puede representar por 2.5 y también por _____

• $\frac{1}{10}$ representa 10% y también _____ lo representa.

• 40% se puede representar por 0.4 y también por _____

• $\frac{4}{10}$ representa 0.04 y _____ %

30

Cambia la escala

Lo que conozco. En equipos, analicen ambas gráficas y comenten las diferencias en la información mostrada.

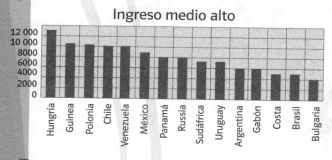

Las gráficas muestran información general acerca de la economía de un país por medio del PIB (Producto Interno Bruto), que está relacionado con el término per cápita, referido al cociente de los ingresos totales entre todos los habitantes.

1. En equipos, contesten las preguntas.

Las siguientes gráficas representan el número de aprobados en Geografía (G), Historia (H) y Educación Artística (E.A.) en dos grupos, el A y el B.

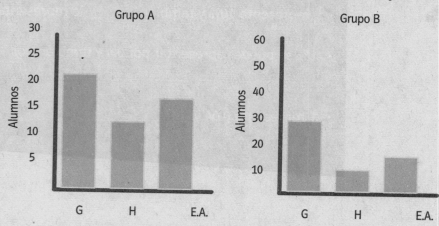

❖ ¿En qué grupo hay más alumnos aprobados en Historia? _____

❖ ¿En alguna asignatura el grupo B tiene más alumnos aprobados?_____

Las siguientes gráficas representan los litros de gasolina y los kilómetros
que recorren dos automóviles.

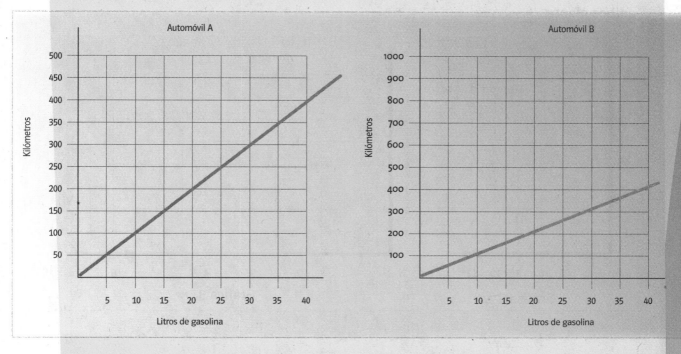

❖ ¿Cuál de los automóviles consume menos gasolina? _____

❖ ¿Por qué?_____

2. Localiza los puntos con
coordenadas: a (5,2),
b (6,3), c (8,5), d (10,7) y
e (11, 8), en el siguiente
plano castesiano.

La escala en este plano
es 1:1 (eje *x* : eje *y*). Una
vez localizados los puntos,
únelos con un línea recta.

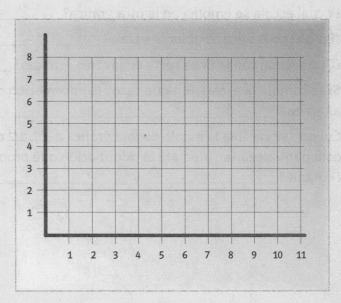

Gráfica 1

Localiza y une esos mismos puntos en cada uno de los siguientes planos. Posteriormente, con uno de tus compañeros compara las gráficas de ambos planos.

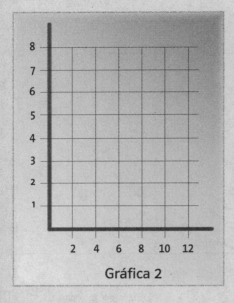

Gráfica 2

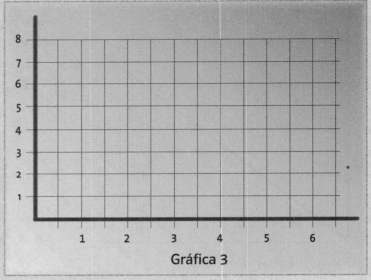

Gráfica 3

❖ ¿Qué observas en el eje de las abscisas de las gráficas 2 y 3? _____

❖ ¿Qué cambió en estas gráficas con respecto a la gráfica 1? _____

❖ ¿En cuál de las dos gráficas anteriores se emplea la escala 2:1? _____
   ¿Y cuál escala se emplea en la otra gráfica? _____

❖ ¿En qué consistirá cambiar la escala? _____

❖ ¿Qué sucede con la línea recta en las tres gráficas? _____

❖ Si se cambia la escala, ¿en qué casos la información de la gráfica no es
   alterada? _____

❖ Cuando se cambia la escala de una gráfica a 3:1, 1:2 o cualquier otra de
   esta naturaleza, ¿se afectará la información que proporciona? _____
   ¿Por qué? _____

RETO

En tu cuaderno reproduce la gráfica que se presenta a continuación. Dibuja tres veces más grande la escala del eje horizontal. Observa qué le sucede a tu gráfica y coméntalo con tus compañeros. Determinen con su maestro la manera como se modifica la representación de la información en una gráfica al cambiar la escala, y qué se debe tomar en consideración al analizar la información para que sea interpretada de manera adecuada.

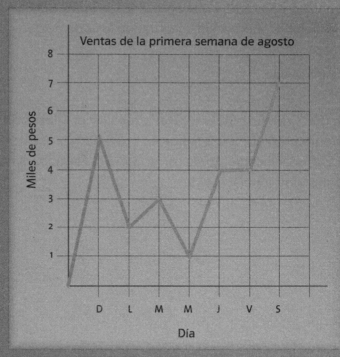

★Integro lo aprendido

Ahora aplicarás los conocimientos construidos en el bloque. Resuelve los problemas siguientes.

Gerardo y sus dos hermanos recibieron un televisor que envió su hermana Lola de Estados Unidos, el cual mide 25 pulgadas de ancho, largo y profundo y con la caja de empaque, 28 pulgadas por lado. Costó con todo y flete 736 dólares, más 16% de impuestos.

❖ Gerardo llevó su auto para transportar el televisor, pero la máxima apertura de la puerta es de 60 cm. Investiga y contesta si podrá llevar el aparato en su auto _____

❖ Investiga a cuánto equivale en pesos un dólar en el lugar donde vives._____

❖ Si los costos los repartirán entre Gerardo y sus dos hermanos, estima cuánto tendrán que aportar cada uno y después comprueba tu estimación, efectuando las operaciones correspondientes.

❖ Valor estimado _____
   Valor exacto _____

❖ Para que Gerardo pudiera llegar a recoger el televisor dibujó el siguiente plano. Localiza los pares ordenados: Casa de Gerardo, A (2,2) ; Establecimiento de carga, B (5,6) ; Farmacia La luz, C (4,3) y Central Camionera, D (0,5). _____

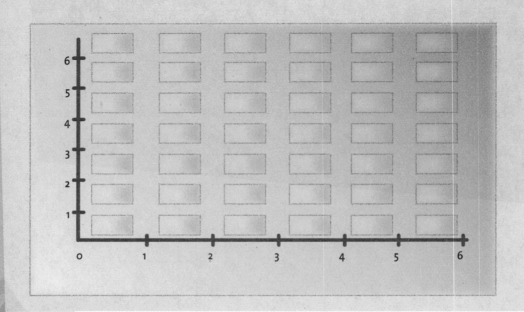

Evaluación

A continuación resolverás problemas en los que aplicarás los conocimientos aprendidos en el bloque.

Intrucciones: Encierra la letra que corresconde a la respuesta correcta.

1. Gabriel compró un kilogramo de guayabas, uno de ciruelas y uno de limones para repartirlos el Día del Niño; en total, fueron 46 guayabas; 69 ciruelas y 38 limones. Gabriel quiere repartir estas frutas entre sus 7 sobrinos de tal manera que ellos reciban la misma cantidad de cada tipo de fruta. Si algunas frutas sobran, se las quedará él.

❖ La cantidad de cada tipo de fruta que le corresponderá a cada uno se representa en:
   a) Unidades
   b) Decenas
   c) Centenas
   d) Décimos

❖ Aproximadamente, ¿qué porcentaje de cada tipo de fruta le correspondió a cada niño?
   a) 13% de guayabas y limones y $\frac{13}{100}$ de ciruelas
   b) $\frac{13}{100}$ de guayabas y limones y 14% de ciruelas
   c) 14%, de guayabas, ciruelas y limones
   c) $\frac{41}{100}$ de guayabas y ciruelas y 13% de limones

2. Imaginemos que las gráficas de los incisos a) y b) corresponden a bicicletas con ruedas de distinto tamaño. ¿Qué se puede decir del perímetro de las ruedas?
   a) Son iguales.
   b) El del inciso a) es mayor al del inciso b).
   c) El del inciso b) es mayor al del inciso a).
   d) El del inciso a) es 100 veces menor que el del inciso b).

3. Una vez que se duplica el tamaño de cada uno de los lados de la cruz roja, ¿cuáles son las coordenadas de 3 de los puntos que forman esa cruz? Debes elaborar la cruz a escala a partir del punto (3, 2).
   a) (6, 5), (9, 8), (0, 8)
   b) (5, 2), (7, 4), (3, 6)
   c) (0, 2), (0, 5), (6, 2)
   d) (6, 5), (9, 8), (3, 8)

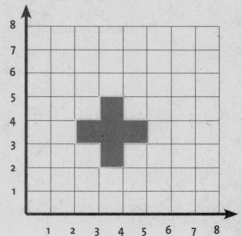

4. Con cada vuelta de las ruedas de su
bicicleta Lucía avanza 37.7 in.

❖ Después de recorrer 750 m, ¿cuántas
vueltas completas da la rueda?

   a) 24

   b) 2460

   c) 783

   d) 7

❖ ¿Cuál de las siguientes gráficas
representa el número de vueltas
respecto a los metros recorridos?

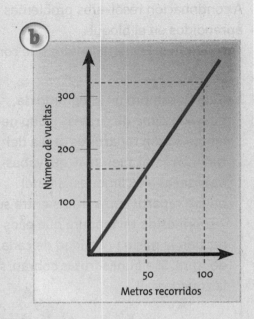

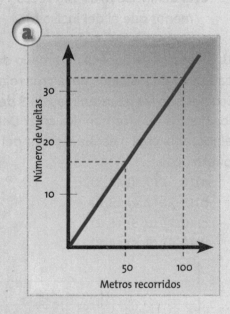

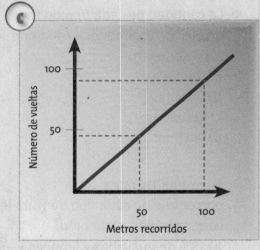

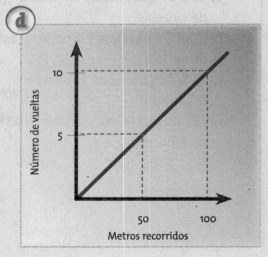

Autoevaluación

En las casillas correspondientes, marca con una paloma ✔ lo que mejor refleje lo que piensas.

Contenidos procedimentales	Siempre lo hago	Lo hago a veces	Difícilmente lo hago
Resuelvo problemas que involucran conversiones de moneda extranjera.			
Resuelvo problemas que involucran cálculo de porcentajes.			
Localizo algún punto o lugar de mi comunidad usando un plano cartesiano.			
Entiendo noticias e informes interpretando gráficas.			

Contenidos actitudinales	Siempre lo hago	Lo hago a veces	Difícilmente lo hago
Respeto y valoro las costumbres y tradiciones de mis compañeros.			
Cuido mi cuerpo comiendo alimentos nutritivos.			
Cuando trabajo en equipo, aprendo de mis compañeros.			
Cuando trabajo en equipo, efectúo mejor las cosas que si las llevo a cabo individualmente.			

Autoevaluación

En las casillas correspondientes marca con una paloma ✓ lo que mejor refleje tus
avances.

Bloque IV

Aprendizajes esperados

- Ordena, encuadra, compara y convierte números fraccionarios y decimales.
- Divide números fraccionarios o decimales entre números naturales.
- Resuelve problemas de combinatoria que involucran permutaciones sin repetición.
- Resuelve problemas que implican comparar razones.
- Traza polígonos regulares inscritos en circunferencias o a partir de la medida del ángulo interno del polígono.
- Resuelve problemas que implican calcular el volumen de prismas mediante el conteo de unidades cúbicas.
- Resuelve problemas que implican usar la relación entre unidades cúbicas y unidades de capacidad.

31

¿Qué **números** lo dividen **exactamente?**

Lo que conozco. En equipos, contesten las preguntas siguientes.

Vamos a jugar a La Pulga y las trampas. Cada equipo tiene 20 fichas, tres piedras pequeñas y una tira de cartón como la siguiente:

0 1 2 3 4 5 6 7 8 9 10 11 12 13 14 15 16 17 18 19 20 21 22 23 24 25 26 27 28 29 30 31 32 33 34 35 36 37 38 39 40 41 42 43 44 45 46 47 48 49 50 51 52 53 54 55 56 57 58 59 60

Instrucciones:

a) Nombren a un cazador.

b) El cazador colocará en la tira de cartón las tres piedras, que representarán las trampas, en los números que prefiera.

c) Cada uno de los otros alumnos tomará una ficha, que será su pulga, y la colocará en el cero.

d) Cada alumno elegirá cómo saltará su pulga. Puede saltar de 2 en 2, de 3 en 3, y hasta de 9 en 9.

e) Una vez que hayan elegido cómo saltarán sus pulgas, avanzarán por turnos, y cada niño dirá en voz alta los números por los que va cayendo su pulga.

f) Si en uno de los saltos la pulga cae en una de las trampas, le entregará su ficha al cazador.

g) Cuando todos hayan pasado, otro niño será el cazador y se repite el proceso anterior.

h) El juego termina cuando todos hayan sido cazadores.

1. Por equipos, resuelvan los siguientes problemas.

a) Gloria compró 24 pelotas que desea meter en bolsas. Quiere que en cada bolsa haya el mismo número de pelotas sin que sobre alguna. Sin embargo, Gloria se dio cuenta de que hay varias maneras de hacerlo. Dibuja las distintas formas en que puede hacerlo.

b) Fernando tiene 36 canicas; hará montones que tengan el mismo número de canicas y no quiere que le sobre alguna. Él sabe que hay varias maneras de hacer los montones. ¿Cuántas canicas puede poner en cada montón? Anota todas las posibles respuestas. _____

_____

_____

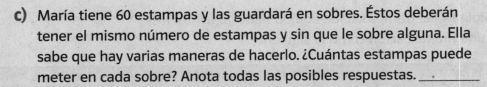

c) María tiene 60 estampas y las guardará en sobres. Éstos deberán tener el mismo número de estampas y sin que le sobre alguna. Ella sabe que hay varias maneras de hacerlo. ¿Cuántas estampas puede meter en cada sobre? Anota todas las posibles respuestas. _____

_____

_____

Comparen sus resultados con los que obtuvieron sus compañeros.

2. Vamos a jugar a "El número venenoso".

a) Todos los alumnos del grupo formarán un círculo; en caso de que sean más de 25 formarán dos círculos.

b) Antes de iniciar el juego, el equipo elegirá un número entre el 1 y el 10. El número elegido y sus múltiplos estarán "envenenados" y nadie podrá pronunciarlos.

c) Después, contarán en voz alta de uno en uno. El primer alumno dirá: "uno", el que sigue continúa con el "dos", y así sucesivamente.

d) Al irse numerando a quien le toque decir un número venenoso, en lugar de nombrarlo en voz alta dará una palmada y los siguientes niños continuarán con la numeración.

Por ejemplo, si decidieron que el número venenoso es el 4, se numerarán en voz alta comenzando con el 1, 2, 3; a quien le toque decir 4, sólo dará una palmada y seguirán numerándose en voz alta el 5, 6, 7 y a quien le toque el 8 dará una palmada, y así sucesivamente.
Cada vez que alguien se equivoque elegirán otro número venenoso.
Jueguen así por 6 rondas.

En parejas realicen la siguiente actividad.
Encierren en un círculo los números que son múltiplos

Número	Múltiplos
3	15, 19, 22, 24, 29, 33, 39, 47, 50, 61, 72, 98, 99, 100
4	6, 8, 10, 12, 14, 16, 22, 28, 30, 34, 46, 52, 58, 80, 122, 124
5	10, 22, 35, 48, 60, 72, 85, 95, 110, 150, 205, 909, 990, 1000, 1002
6	20, 40, 60, 80, 100, 200, 400, 800, 1000, 1300, 1500, 1800, 2000
7	14, 27, 35, 37, 42, 47, 49, 63, 77, 84, 92, 98, 117, 140, 287, 574
9	19, 29, 39, 45, 65, 72, 81, 99, 109, 299, 396, 450, 603, 999

Un número es múltiplo de otro si al dividirlo el cociente es exacto, es decir, no tiene residuo.
El 12 es múltiplo de 2 y 3, pero no es múltiplo de 5, porque al dividirlo entre 5 sí tiene residuo.
Por lo tanto, 2 y 3 son divisores de 12, porque dividen al 12 en partes exactas.

3. Resuelvan la siguiente actividad en parejas y con ayuda de una calculadora.
Tecleen en la calcucladora lo siguiente.

❖ ¿Qué números aparecen en la calculadora? _____

❖ ¿Cuántas veces necesitarán oprimir la tecla = para que aparezca el número 21? _____

❖ ¿Cuántas veces, para que aparezca el número 42? _____

❖ Al seguir oprimiendo la tecla = , ¿aparecerá el número 66? _____ ¿Y el 88? _____ ¿Aparecerá el 189? _____

❖ Busquen una estrategia para saber si aparecería el número 2 136 y escríbanla a continuación: _____
_____

❖ ¿Será múltiplo de 4 el 200? _____ ¿Y el 628? _____

❖ De los siguientes números, ¿cuáles serán múltiplos de 12?   36, 62, 72, 124, 144, 372, 400, 552

En la siguiente tabla escriban "Sí" o "No", según corresponda.

Número	Multiplos de...			
	2	5	6	9
45				
90				
200				
270				
500				

A partir de los resultados de la tabla respondan lo siguiente:

❖ ¿Qué número tiene como divisores 2, 5, 6 y 9? _____

❖ Escriban otros dos números que sean múltiplos de 2, 5, 6 y 9:
_____

❖ ¿Qué número es múltiplo solamente del 5 y del 9? _____

❖ Escribe otros dos números que sean múltiplos solamente del 5
y del 9: _____

Un número natural es divisible entre otro si existen dos
números naturales que al multiplicarse entre sí dan como
resultado ese número. El 15 es divisible por el 3, ya que 3 x 5
=15, pero no es divisible por 2.

Dato interesante

Los *números amigos* son aquellos en los que la suma de los divisores
de uno de los números es igual al otro número.
Por ejemplo, 220 y 284 son números amigos.
Los divisores de 220 son: 1, 2, 4, 5, 10, 11, 20, 22, 44, 55 y 110
Los divisores de 284 son: 1, 2, 4, 71 y 142.
Observa lo que pasa al sumar los divisores de estos números.

$$220 = 1+2+4+5+10+11+20+22+44+55+110 = 284$$
$$284 = 1+2+4+71+142 = 220$$

4. En cada fila, colorea los recuadros donde aparezca un número que sea divisor del que está en la columna verde.

Número	Divisor											
12	1	2	3	4	5	6	7	8	9	10	11	12
23	1	2	3	4	5	6	7	8	9	10	11	12
24	1	2	3	4	5	6	7	8	9	10	11	12
30	1	2	3	4	5	6	7	8	9	10	11	12
31	1	2	3	4	5	6	7	8	9	10	11	12
36	1	2	3	4	5	6	7	8	9	10	11	12
50	1	2	3	4	5	6	7	8	9	10	11	12
56	1	2	3	4	5	6	7	8	9	10	11	12
72	1	2	3	4	5	6	7	8	9	10	11	12
81	1	2	3	4	5	6	7	8	9	10	11	12

Observa la tabla y responde las siguientes preguntas:

❖ ¿Qué números son divisores de 12? _____

❖ ¿Qué números de la tabla son divisores de 24? _____

❖ De los números que muestra la tabla, ¿cuáles son divisores de 30?

_____

¿Cuáles son divisores de 36? _____

❖ ¿Qué número aparece como divisor de todos los números de la tabla? _____ ¿Este número es divisor de todos los números que utilizamos para contar? _____

❖ ¿Qué números fueron divisibles entre 2? _____

❖ A los números que son divisibles entre 2 se les llama números pares. Escribe 5 números pares que no estén en la tabla: _____

❖ Los números que al dividirlos entre 2 tienen residuo 1 se les llama impares. Escribe 5 números impares que no se muestren en la tabla.

_____

RETO

Escribe cinco números que sólo puedan dividirse entre el 1 y entre sí mismos: _____

Estos numeros que acabas de escribir se conocen como **primos**.

De decimales a fracciones

Lo que conozco. Completa las siguientes tablas:

Número	Fracción
Cinco décimos	
Veinticinco centésimos	
Doce décimos	
	$\dfrac{225}{1\,000}$
Seis centésimos	

Número	Decimal
Seis centésimos	
Doscientos veinticinco milésimos	
	0.5
	0.12
Veinticinco centésimos	

1. Ubica en la recta numérica los números que a continuación se presentan:

$$0.4, \ \frac{4}{5}, \ \frac{1}{2}, \ \frac{2}{3}, \ 0.25, \ 0.75, \ \frac{1}{4}, \ 0.50, \ \frac{2}{5}, \ 0.8$$

A partir de la actividad anterior responde lo siguiente:

❖ ¿Ocuparon algunos números el mismo lugar? _____

❖ Escribe las parejas de los números que ocuparon el mismo lugar en la recta numérica: _____

❖ ¿Qué significa que estos números ocupen el mismo lugar en la recta numérica?
_____

2. En parejas, realicen las siguientes actividades:

Varios listones se dividirán en partes iguales. Completen la siguiente tabla y anoten a qué fracción de metro corresponden los tamaños resultantes.

Longitud del listón (m)	Número de partes en que se cortará el listón	Longitud de cada parte en fracción de metro	Longitud de cada parte en notación decimal (m)
1	2	$\frac{1}{2}$	
1	4		0.25
2	4		
2	8		
3	2		
3	4		
4	2		
4	8		
8	4		
8	2		

3. A partir de la información de la tabla anterior, encierra en cada pareja el número que represente la mayor longitud de listón.

$\frac{1}{2}$ $\frac{2}{8}$ $\frac{1}{2}$ 0.25

0.5 $\frac{3}{4}$

De las fracciones de esa misma tabla escribe las que son:

❖ Mayores que la unidad _____

_____

❖ Menores que la unidad _____

_____

4 Escribe como número decimal cada una de las siguientes fracciones:

a) $\frac{1}{3}$ =   d) $\frac{5}{6}$ =

b) $\frac{2}{5}$ =   e) $\frac{3}{8}$ =

c) $\frac{3}{7}$ =

A partir de la actividad anterior responde lo siguiente:

❖ ¿En cuáles casos la representación decimal fue exacta? _____

❖ ¿En cuáles casos la representación decimal no fue exacta? _____

Un número decimal periódico es el número que tiene una o varias cifras que se repiten indefinidamente. Por ejemplo: $\frac{2}{3}$= 0.666...

5. Las siguientes rectas numéricas tienen la misma longitud en el intervalo 0 a 1.

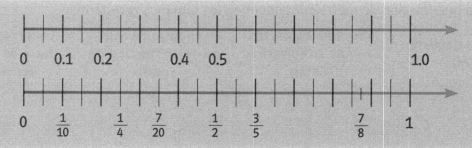

En las rectas anteriores une con líneas las siguientes parejas de números:

0.5 $\dfrac{1}{2}$ $\dfrac{1}{10}$ 0.1

De la misma forma, une los siguientes números con la pareja que le corresponde y escríbelos en la línea:

0.2 _____   _____ $\dfrac{1}{4}$ 0.4 _____

_____ $\dfrac{3}{5}$ _____ $\dfrac{3}{8}$

RETO

A partir de las rectas numéricas determina qué número decimal o fracción les corresponde a los números siguientes:

$\dfrac{7}{20} =$ _____ $\dfrac{7}{8} =$ _____

0.2 = _____   0.2 = _____

Una forma de convertir un número fraccionario a su representación decimal es resolviendo la división, por ejemplo: $\dfrac{3}{4} = 0.75$

$$\begin{array}{r} 0.75 \\ 4\overline{)3.00} \\ 20 \\ 0 \end{array}$$

En cambio, para convertir un número decimal a su equivalente fraccionario, se escribe como numerador el número decimal sin punto y como denominador el 1 seguido de tantos ceros como cifras después del punto tenga el decimal. Por ejemplo: $0.25 = \dfrac{25}{100}$

De tal forma que la lectura de ambas expresiones es la misma. 0.25 centésimos es igual a $\dfrac{25}{100}$ veinticinco centésimos.

La expresión $\dfrac{25}{100}$ es equivalente a $\dfrac{1}{4}$, porque al multiplicar $\dfrac{1}{4} \times \dfrac{25}{25}$ tenemos $\dfrac{25}{100}$.

33

El orden es importante

Lo que conozco. En el salón de clases se sientan en la primera fila: Juan, Ana, Laura y Carlos.

a) Si Juan se sienta en la primera banca de la izquierda y Ana en la primera de la derecha, ¿de cuántas maneras se pueden acomodar Laura y Carlos? _____

_____

b) Si los cuatro niños pueden sentarse en cualquier lugar, ¿de cuántas maneras pueden acomodarse? _____

1. Una escolta fue integrada por seis alumnos de la siguiente forma: (1) abanderado; (2) comandante; (3) vanguardia derecho; (4) vanguardia izquierdo; (5) guardia derecho; y (6) guardia izquierdo.

En parejas, resuelvan lo siguiente.

a) Si Mariana es la abanderada y Juan el comandante, ¿de cuántas maneras pueden colocarse en la escolta los demás integrantes?

_____

_____

b) Si todos pueden acomodarse en cualquier posición, ¿de cuántas maneras pueden colocarse los alumnos en la escolta? _____

_____

_____

2. En parejas, realicen la siguiente actividad.

Al mismo tiempo lancen al aire dos dados, de distinto color.
¿De cuántas formas distintas pueden caer?
_____

Utiliza la siguiente tabla para registrar las distintas combinaciones que ocurrieron.

	⚀	⚁	⚂	⚃	⚄	⚅
⚀						
⚁						
⚂						
⚃						
⚄						
⚅						

❖ Además de la tabla, ¿qué otro procedimiento puedes emplear para determinar la cantidad de combinaciones que puede haber? _____

❖ Dibujen los resultados que podrían obtener si lanzan al mismo tiempo un dado y una moneda.

Dato interesante

La suma de las caras opuestas de un dado de seis caras es 7.
¿Sabías que existen dados de doce caras? Éstos se usan en los juegos de rol.

3. En parejas resuelvan el siguiente problema.

Miguel quiere elaborar una bandera como la que se muestra en la imagen. Para ello puede utilizar los siguientes colores:

❖ La bandera que hará Miguel sólo puede tener 3 colores. ¿Cuántas banderas distintas podrá hacer? _____

Dibuja a continuación las distintas banderas que puede formar.

Existen situaciones donde un conjunto de objetos pueden agruparse de forma tal que el orden es importante. A esto se le llama permutación sin repetición. Una manera de calcular todas las formas posibles en la que se pueden agrupar los objetos de una colección es la siguiente.

Se considera el número de elementos del conjunto y se multiplica por todos los números enteros menores que él. Por ejemplo, al comprar un cono de helado con tres bolas de sabores distintos hay 3 x 2 x 1 = 6 formas distintas de acomodarlas sobre el cono. Si el conjunto consta de 4 objetos distintos, el número de formas de ordenarlos es: 4 x 3 x 2 x 1 = 24.

En ocasiones, para agrupar objetos el orden no es importante, ya que el resultado no cambia. Es lo mismo una ensalada de verduras con "zanahorias, papas y chícharos", que "chícharos, papas y zanahorias" o "papas, zanahorias y chícharos". Sin embargo, existen situaciones donde el orden de las cosas es importante. Por ejemplo "la combinación de la cerradura es 412", no funcionarían los números 214 ni 142; el número ha de ser exactamente 412.

RETO

En parejas, resuelvan los problemas siguientes:

Rosa olvidó la combinación para abrir su caja fuerte; sólo sabe que los números son: 1, 2, 3, 4, 5, 6, 7, 8, 9 y no se repiten. ¿Cuántas combinaciones podrá encontrar Rosa? _____

_____

Las placas de la mayoría de los automóviles pueden formarse con tres letras y cuatro números. ¿Cuántas placas diferentes se pueden formar usando solamente las letras A, X, W , empezando siempre con A y después los números 1, 3, 7, 9 sin que se repitan?

_____

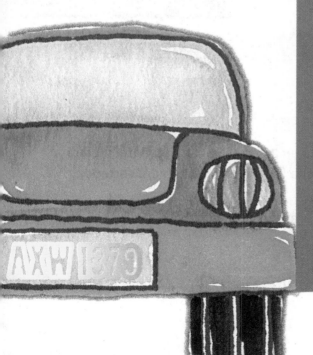

34

Para dividir en partes

Lo que conozco. En equipos, resuelvan los problemas siguientes.

a) Al trasladar una pieza de madera se dañaron dos décimas partes. Con el resto de la madera en buen estado se construirán 2 puertas del mismo tamaño. ¿Qué parte de la pieza original se utilizará en cada una de las puertas?

_____

_____

Encierra la operación que resuelve el problema anterior.

$$\frac{4}{5} \div 2 \qquad\qquad \frac{4}{5} \times 2$$

b) Estela tiene un listón que mide 0.8 m y va a cortarlo en 2 partes iguales, ¿cuánto medirá cada pedazo de listón? _____ ¿Cuál sería la medida si lo hubiera cortado en 4 partes iguales? _____

Encierra la operación que puedes utilizar para dar respuesta a la primera pregunta:

$$0.8 \div \frac{1}{2} \qquad\qquad 0.8 \times \frac{1}{2}$$

1. En equipos, resuelvan los siguientes problemas.

a) Cuatro amigos van a repartirse $\frac{6}{8}$ de una pizza, por partes iguales y sin que sobre algún pedazo. ¿Cuántas partes le tocarán a cada uno? _____

b) Patricia tiene $\frac{3}{4}$ de metro de listón y lo cortará para hacer 4 moños iguales. ¿Qué cantidad de listón ocupará para cada moño? _____

c) Daniel compró un pastel y se comió la octava parte. A sus cinco hermanos les repartió lo que quedaba en partes iguales. ¿Qué fracción del pastel correspondió a cada uno de sus hermanos?

Parte que se comió Daniel

Parte a repartir

d) En una ferretería, $\frac{6}{7}$ de una lata de pintura se vaciaron en partes iguales dentro de 3 recipientes. ¿Qué fracción de pintura quedó en cada recipiente?

_____

Comparen sus respuestas con otros equipos.

2. En parejas, tomen cuatro hojas usadas. De cada una de ellas recorten el cuadrado más grande posible, que por lado mida el ancho de la hoja, y numérenlos del 1 al 4.

Para hacer los siguientes cocientes, sigan las instrucciones:

❖ Para dividir $\frac{3}{4}$ entre 2:

Del cuadrado número 1 corten $\frac{1}{4}$.

Dividan el resto en dos partes iguales y coloreen de azul la mitad.

¿Qué fracción del cuadrado representa la parte azul? _____

_____

Tomen el cuadrado número 2 y divídanlo en octavos.

¿Cuántos de estos octavos equivalen a la parte coloreada de azul en el primer cuadrado?

_____

_____

¿Cuál es el cociente de dividir $\frac{3}{4}$ entre 2? _____

_____

❖ Dividan ahora $\frac{1}{4}$ entre 4.

Dividan el cuadrado número 3 en cuatro partes iguales.

Tomen uno de estos cuartos y vuelvan a dividirlo en cuatro partes. Coloreen de rojo una cuarta parte.

Tomen el cuadrado número 4 y divídanlo en dieciseisavos.

¿Cuántos de estos dieciseisavos equivalen a la parte coloreada de rojo en el cuadrado número 3? _____

_____

¿Cuál es el cociente de dividir $\frac{1}{4}$ entre 4? _____

_____

❖ Escriban en su cuaderno cómo encontrarían el cociente de dividir $\frac{1}{2}$ entre 8.

Para calcular la mitad de una fracción lo que se hace es multiplicar el denominador de la fracción por 2. Para dividir una fracción entre otro número se multiplica el denominador por dicho número. Por ejemplo, dividir $\frac{2}{3} \div 8$, equivaldría a calcular

$$\frac{2}{3} \times \frac{1}{8} = \frac{2}{3 \times 8} = \frac{2}{24}$$

El resultado es igual a $\frac{2}{24}$.

RETO

Resuelve los problemas siguientes:

Una tabla de 0.84 m de largo debe dividirse en tres partes iguales. ¿Cuántos centímetros medirá cada parte? _____

El contenido de una botella de 0.750 litros será repartido en partes iguales entre 4 amigos. ¿Cuántos litros de agua le tocará a cada uno? _____

Una bolsa que contenía $\frac{3}{4}$ de kg de arroz fue dividida en 6 partes iguales. ¿Cuánto pesaba cada una de esas partes? _____

Una gelatina que pesa 1.240 kg se va a dividir en 4 partes iguales. ¿Cuánto pesará cada pedazo? _____

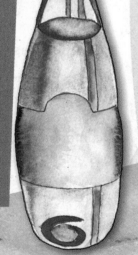

35
Polígonos en el círculo

Lo que conozco. En parejas, realicen la siguiente actividad:

A partir de un círculo, hagan dobleces y determinen la secuencia para trazar un cuadrado.

En una hoja usada tracen tres círculos y recórtenlos, luego tracen en ellos un octágono regular. Posteriormente, traten de trazar un triángulo equilátero y un pentágono.

1er paso

2º paso

¿Qué problemas encontraron? _____

_____

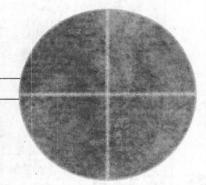

3er paso

1 En parejas, y con su juego de geometría, tracen 5 circunferencias en su cuaderno y dentro de ellas dibujen las siguientes figuras: un triángulo equilátero, un cuadrado, un pentágono regular, un hexágono regular y un decágono regular; los vértices deben estar sobre la circunferencia.

❖ Explica en tu cuaderno cómo trazaron las figuras dentro de las circunferencias.

❖ Compara tus respuestas con otros compañeros.

❖ Escriban en sus cuadernos las conclusiones a que llegaron para realizar las figuras.

❖ En caso de que detecten errores, corrijan los trazos realizados.

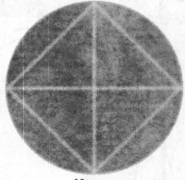

4º paso

Obteniendo

π (pi)

Lo que conozco. En equipos consigan objetos circulares de diferentes tamaños. Utilicen un hilo o una cuerda para medir la longitud de la circunferencia y el diámetro de cada uno, y en cada caso obtengan el cociente entre la circunferencia y el diámetro. Registren sus datos en la siguiente tabla.

Objetos	Medida de la circunferencia	Medida del diámetro	Cociente de la circunferencia entre el diámetro

Pueden auxiliarse de una calculadora para obtener el cociente entre la circunferencia y el diámetro; utilicen cuatro cifras decimales para el cociente.

❖ A medida que aumenta la circunferencia y el diámetro, ¿aumentará también el cociente? _____

❖ ¿Cómo son entre sí los resultados de los cocientes obtenidos?

❖ Reúnanse en parejas y determinen cómo pueden obtener la medida de la circunferencia si conocen la medida del diámetro.

La relación que existe entre el cociente del diámetro (D) y el perímetro de la circunferencia (C) que lo contiene da como resultado aproximadamente 3.1416. Este valor se representa con la letra griega π y se lee "pi".

Por lo tanto $\dfrac{C}{D} = \pi$ $\qquad$ $C = \pi \times D$

1. En equipos, resuelvan los problemas siguientes. Pueden auxiliarse de su calculadora.

a) El diámetro de la Tierra es de 12 756 km. ¿Cuál es la medida de su circunferencia?

_____
_____
_____

b) Linda quiere colocar listón alrededor de un aro que tiene un diámetro de 1.5 m. ¿Qué cantidad de listón necesitará? _____

_____
_____

RETO

La distancia de la casa de Javier a la de José es de 450 m. Javier visitó a José y viajó en una bicicleta cuyas ruedas tienen un diámetro de 45.72 cm. ¿Cuántas vueltas dio cada rueda para hacer este recorrido?

_____

37

¿Qué es
más **probable?**

Lo que conozco. En equipos, realicen la siguiente actividad.

Lancen 2 monedas juntas 50 veces y registren con una raya el resultado
en la tabla y cada que obtengas 5 cruza las 4 rayas anteriores con una
diagonal, por ejemplo 5 es:

Opciones	Veces que cayeron
Águila-águila	
Águila-sol	
Sol-sol	
Sol-águila	

❖ Al lanzar una moneda, ¿qué es más probable obtener, águila o sol?

_____

❖ ¿Cómo concuerda su respuesta con los resultados que obtuvieron?

_____

❖ De acuerdo con los resultados de la tabla, al lanzar al mismo tiempo
dos monedas, ¿qué es más probable obtener, el mismo resultado en
las dos, o resultados diferentes?

_____

❖ Si se lanzan al mismo tiempo tres monedas, ¿qué es más
probable, obtener el mismo resultado en las tres, o dos
iguales y uno diferente?

_____

❖ Si se lanzan al mismo tiempo una moneda y un dado:

¿Qué es más probable, obtener número par y águila, o
número impar y sol? _____

¿Qué es más probable, obtener número par y sol, o
múltiplo de 3 y águila?_____

1. En parejas, lancen al mismo tiempo dos dados de diferente color y sumen los puntos de las caras que quedaron hacia arriba. Realicen este ejercicio varias veces más.

❖ ¿De cuántas formas diferentes obtuvieron 3? _____

_____

❖ ¿De cuántas formas distintas obtuvieron 5? _____

_____

❖ ¿Qué cantidades pueden sumar los dos dados? _____

_____

Completen las siguientes tablas

		Dado 2					
		1	**2**	**3**	**4**	**5**	**6**
Dado 1	**1**	2					
	2		4	5			8
	3						
	4						
	5					10	
	6	7					

Suma posible	2	3	4	5	6	7	8	9	10	11	12
Formas diferentes	1										

❖ ¿Cuál es la suma más probable? _____

Todo el grupo se dividirá en cinco equipos y lanzarán 2 dados 30 veces; anotarán sus resultados en una tabla como la anterior.

❖ De los resultados que obtuvieron, ¿cuántas veces salió 6? _____

❖ Si lanzaran los dados 200 veces, ¿aproximadamente cuántas ocaciones saldría el 6? _____ ¿Y si lo lanzaran 500?

_____

RETO

En una urna introduce canicas con las mismas características, pero de diferente color: 7 de color rojo; 9 azules; 10 amarillas y 14 blancas. Tras revolverlas y sin ver, saca dos canicas de la urna y registra los resultados. Devuelve las canicas a la urna y realiza el experimento 20 veces.

¿Cuáles son los posibles resultados? _____

¿Qué es más probable: sacar una canica azul, o una amarilla?

_____

¿Qué es más probable: sacar una canica blanca, o una amarilla?

_____

El *espacio muestral* en un experimento aleatorio son todos los posibles resultados que se pueden obtener. Por ejemplo en el caso del lanzamiento de dos monedas distintas los resultados son los siguientes: águila – águila, sol – sol, águila – sol o sol – águila. En este caso el espacio muestral está compuesto por cuatro eventos.

38

Comparo
razones

Lo que conozco. Resuelve el problema siguiente.

En la tienda llamada "La Económica" venden dos tipos de embutido de la misma calidad: 250 g de jamón San Roque cuestan $25, y 400 g de jamón El Torito tienen un precio de $32.

❖ Manuel va a comprar 1 kg de jamón en la tienda "La Económica". ¿De cuál marca le conviene más? _____

❖ ¿Por qué? _____

❖ ¿Cuánto debe pagar si lleva 500g de cada uno? _____
Compara tu respuesta con otros compañeros.

Tienda
La Económica

1. En equipos, resuelvan el problema.

Daniel, Víctor y Jesús investigaron en la cremería del mercado que el precio de 250 g de queso blanco es de $14; mientras que en la tienda de don Simón 300 g del mismo tipo de queso cuestan $18, y en la tienda de doña Susana 500 g cuestan $26.

❖ Con los datos obtenidos por Daniel, Víctor y Jesús, completa la siguiente tabla.

Cantidad de queso	Cremería del mercado	Tienda del señor Simón	Tienda de la señora Susana
1 g			
50 g			
250 g			
500 g			
1000 g			

❖ Con base en la información de la tabla, contesta las siguientes preguntas.

¿En cuál de las tres tiendas conviene comprar el queso?_____

Expliquen su respuesta _____

_____

_____

_____

2. En parejas, resuelvan los problemas siguientes.

❖ En la tienda El Caminito el precio aproximado de 160 g de plátanos es de $2; en la tienda El Girasol, 400 g cuestan $4.

   ¿Cuál es el precio de 800 g de plátanos en cada tienda? _____

   ¿En cuál de las tiendas es más barato 1 kg de plátanos? _____

   ¿Cuánto costarán 12 kg de plátanos en cada una de las tiendas?
   _____

❖ En la tortillería de la esquina el precio de $\frac{1}{2}$ kg de tortillas es de $10.00, mientras que en la tortillería del mercado 1 kg de tortillas es 10% más barato.

   ¿Cuánto costarán en cada una de las tortillerías: 100 g _____,
   $\frac{1}{4}$ kg _____, 0.5 kg _____ y 2 kg _____?

❖ Si en el mercado 500 g de arroz cuestan $14, ¿cuántos gramos se puede comprar con $2 _____, $3.50 _____,
   $15 _____ y $110 _____?

❖ Expliquen el procedimiento que siguieron para resolver los
   problemas _____
   _____
   _____
   _____

Para obtener el mejor precio por producto necesitamos comparar cantidades iguales. Por ejemplo, si en el negocio A, 50 g de queso cuestan $24.50, entonces 10 g de queso cuestan $24.50 ÷ 5 = $4.90. En cambio, en el negocio B, 70 g cuestan $35.60, por lo que 10 g cuestan $35.60 ÷ 7 = $5.09. Por lo tanto, el precio del queso es menor en el negocio A.

Ahora aplicarás los conocimientos construidos en el bloque.
Resuelve los problemas siguientes.

Gloria es dueña de una papelería. Por la tarde decidió acomodar 45
lápices en cajas de tal forma que hubiera la misma cantidad en cada
una y que no sobrara ninguno. Escribe las formas en que puede
acomodar los lápices en las cajas: _____

❖ Bertha y Mariana jugaron a ver quién decía un número menor
   que 50 que tuviera más divisores. Mariana dijo 36 y Bertha, 45.
   ¿Quién ganó? _____

❖ Roberto fue al mercado y le dieron una bolsa de frijol que pesaba
   0.8 kg y una de ajonjolí que pesaba $\frac{1}{5}$ kg. Él quiere saber a
   cuánto equivalen estos pesos en fracción y en decimal. Ayúdale a
   encontrar la solución y escribe la equivalencia en la tabla.

Peso del frijol		Peso del ajonjolí	
Fracción	Decimal	Fracción	Decimal
	0.8 kg	$\frac{1}{5}$ kg	

❖ A Dora le solicitaron una tarea escolar, que consiste en elaborar
   una placa para auto como la siguiente:

MCN432

La condición que le dieron es que el orden de las letras no podría
cambiar, y que podría utilizar solamente los números del 1 al 4 en
el orden que quisiera. ¿Cuántas placas distintas podría hacer?

_____

❖ Lucio tiene $\frac{1}{8}$ de pizza y un chocolate que dice: "contenido neto
   250 g". Él quiere darle la mitad a su prima. ¿Qué cantidad le dará
   de cada uno?

Pizza _____   Chocolate _____

Dentro de una urna hay las siguientes esferas:

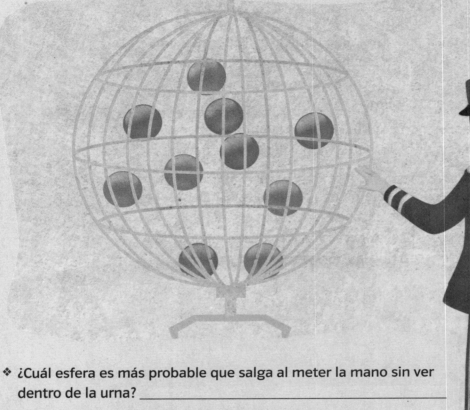

❖ ¿Cuál esfera es más probable que salga al meter la mano sin ver dentro de la urna? _____

❖ ¿Qué color de esfera tiene menos posibilidades de salir? _____

En un periódico, Pedro leyó la siguiente información:

Vehículos	Rendimiento
Camioneta	8 km por $\frac{1}{2}$ litro
Automóvil	15 km por $\frac{3}{4}$ litro

❖ Pedro quiere saber cuál auto tiene mejor rendimiento. Ayúdale dando tú la respuesta. _____

A continuación resolverás problemas en los que aplicarás los conocimientos aprendidos en el bloque.

Instrucciones. Encierra la letra que corresponda a la respuesta correcta.

1. Una fábrica de calzado trabaja sobre el diseño de un modelo de tenis que se elaborará con suela de hule o de poliuretano; forro de piel, tela o sintético; corte vacuno, sintético o textil y en color blanco, rojo, azul o negro. ¿Cuántos modelos diferentes de tenis se podrán diseñar?

   a) 24
   b) 36
   c) 18
   d) 72

2. A los grupos de sexto grado de una escuela primaria se les aplicó una encuesta relacionada con el tipo de música preferida. La música de banda fue de las más elegidas; en el grupo A la seleccionaron 1 de cada 2 alumnos, en el B, 3 de cada 4, y en el C, 7 de cada 10. ¿En qué grupo tiene mayor preferencia este género de músical?

   a) A
   b) B
   c) C
   d) B y C

3. ¿Cuál es el polígono que tiene como ángulos internos ángulos rectos?

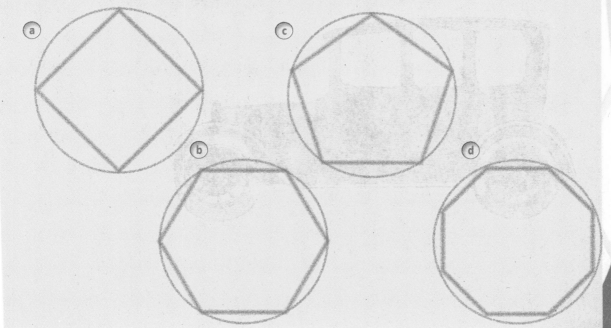

4. El papá de Pedro le dio la mitad de una papaya para que se la repartieran en partes iguales él y sus dos hermanos, ¿qué parte de la papaya completa le corresponde a cada uno?

a) $\frac{1}{4}$

b) $\frac{1}{6}$

c) $\frac{1}{8}$

d) $\frac{1}{3}$

5. La medida de un lápiz es 13.7 cm y una pluma mide 13.2 cm. ¿Cuál de los siguientes decimales está entre estas dos medidas?

a) 13. 71 cm
b) 13. 723 cm
c) 13. 199 cm
d) 13. 52 cm

En las casillas correspondientes, marca con una paloma ✔ lo que mejor refleje lo que piensas.

Contenidos procedimentales	Siempre lo hago	Lo hago a veces	Difícilmente lo hago
Resuelvo problemas de combinaciones empleando números naturales.			
Resuelvo problemas de permutaciones empleando números naturales.			
Resuelvo problemas diversos aplicando números fraccionarios o decimales.			
Trazo polígonos regulares por diversos métodos.			

Contenidos actitudinales	Siempre lo hago	Lo hago a veces	Difícilmente lo hago
Respeto y valoro las costumbres y tradiciones de mis compañeros.			
Cuando trabajo en equipo, aprendo de mis compañeros.			
Cuando trabajo en equipo, aprendo de mis compañeros.			

Bloque V

Aprendizajes esperados

- Usa el divisor común o el múltiplo común para resolver problemas.
- Utiliza las propiedades de la proporcionalidad para resolver problemas con diferentes unidades de medida.
- Selecciona el modo adecuado de presentar información mediante diagramas y tablas.
- Compara las probabilidades: teórica y frecuencial de un evento simple.

39 Divisores y múltiplos

Lo que conozco. Completa la tabla con los divisores de los números de la primera columna, ordénalos de menor a mayor.

Números	Divisores						
8	1			8			
12			3	6			
15							
18	1			9			
20	1			5			
24	1	2				8	
25							
28							

❖ ¿Cuáles son los divisores comunes de 8 y 12?

_____

❖ ¿Cuál de estos divisores comunes es el mayor (máximo común divisor)?

_____

❖ ¿Cuál es el máximo común divisor que tienen 18 y 24?

_____

❖ Escribe el máximo común divisor de 15 y 25

_____

❖ Escribe el máximo común divisor de 12, 18 y 24.

_____

1. Resuelve el siguiente problema y contesta las preguntas.

❖ Daniela tiene 60 manzanas y 75 naranjas y quiere repartirlas en bolsas, con las siguientes condiciones:

Todas las bolsas deben tener la misma cantidad de frutas.

En cada bolsa debe haber manzanas y naranjas.

La combinación de naranjas y manzanas por bolsa debe ser la misma.

Se deben repartir en el menor número de bolsas.

No deben quedar frutas sin embolsar.

❖ ¿Cuántas naranjas y cuántas manzanas tendrá cada bolsa? _____

❖ ¿En cuántas bolsas se podrán repartir las frutas? _____

❖ ¿Cómo puedes comprobar que tu respuesta es correcta? _____

2. En parejas, resuelvan los problemas.

a) Lupita compró 48 rosas, 32 claveles y 80 margaritas. Quiere hacer ramos iguales utilizando todas las flores. ¿Cuál es el máximo número de ramos que Lupita puede hacer? _____

b) Se quiere dividir una cartulina de 50 cm x 90 cm en cuadrados, trazando el menor número posible de rectas.

¿Cuántos cuadrados se pueden formar? _____

¿Cuántas rectas se tendrán que trazar? _____

¿Cuánto medirá de área cada cuadrado? _____

¿Cuál es el área total de los cuadrados? _____

c) Un bloque de hielo tiene 36 cm x 54 cm x 63 cm. Si se quiere dividir en cubos del mayor tamaño posible, ¿cuánto deben medir por lado los cubos de hielo? _____

Al mayor divisor común, de dos o más números, le llamamos Máximo Común Divisor (MCD). Si se desea obtener el MCD de varios números, primero se encuentran los divisores de cada uno de ellos, se observa cuáles son comunes y el MCD es el mayor de éstos. Por ejemplo: se desea saber cuál es el MCD de los números 8, 12 y 20.

Los divisores son:
8: 1, 2, 4, 8
12: 1, 2, 3, 4, 6, 12
20: 1, 2, 4, 5, 10, 20

Se observa que los divisores comunes son: 1, 2 y 4, por lo tanto el MCD de 8, 12 y 20 es 4.

3. Completa la tabla.

Número	Múltiplos					
2	2					
5	10					
7			28			
8		24		40		
10				50		
12					72	

❖ ¿Cuáles son los múltiplos comunes de 8 y 12 que aparecen en la tabla? _____

❖ ¿Cuáles son los primeros tres múltiplos comunes de 5, 8 y 10? _____

❖ Escribe en el renglón cinco múltiplos comunes de 6 y 4. _____

❖ ¿Se pueden escribir más múltiplos comunes de 6 y 4? _____

❖ ¿Cuáles son los primeros cuatro múltiplos comunes de 10 y 12? _____

❖ ¿Cuál es el menor múltiplo común de 10 y 12? _____

❖ ¿Cuál es menor múltiplo común de 15 y 20? _____

4. Ahora resuelvan el siguiente problema y contesten las preguntas.

❖ Para hacer una reparación al drenaje profundo de la ciudad dos equipos de trabajadores hicieron una perforación, cada uno, con una profundidad menor que 120 m. Si el primer equipo excava 14 m diarios, el segundo excava 16 m diarios y ambos terminan a la misma profundidad, ¿hasta qué profundidad perforaron? _____

❖ ¿Cuántos días le toma a cada equipo realizar su trabajo? _____

❖ ¿Cuáles son los 10 primeros múltiplos de 14? _____

❖ ¿Cuáles son los 10 primeros múltiplos de 16? _____

❖ ¿Cuáles son los múltiplos que tienen en común 14 y 16? _____

❖ ¿Cuál es el menor múltiplo común que tienen 14 y 16? _____

5. Resuelve los siguientes problemas.

a) Montserrat vive en Villahermosa; cuando espera su autobús, en el centro, observa que los autobuses que van a la universidad pasan cada 8 minutos y los que van a su casa cada 15 minutos. A las 3:00 de la tarde pasó un autobús de cada ruta, ¿a qué hora volverán a coincidir los autobuses de ambas rutas? _____

b) En la colonia San José, el camión del gas pasa cada 10 días; el cartero, cada 5 días, y el camión que recoge la basura, cada 4 días. Si el lunes 5 de septiembre pasaron los tres, ¿cuál será el próximo día en que los tres coincidan? _____

b) Adrián quiere una bicicleta para su cumpleaños. Su papá le dice que si adivina la edad de su abuelo, se la regalará. Adrián le pide una pista y su papá le responde que la edad de su abuelo se puede dividir exactamente entre 15 y también entre 18. ¿Qué edad tiene su abuelo? _____

El menor múltiplo común de varios números se llama mínimo común múltiplo (mcm). Una forma de obtener el mcm de un grupo de números es haciendo una lista de los múltiplos de cada uno de los números del grupo y elegir el menor de ellos. Por ejemplo, para calcular el mcm de 5 y 6 se escriben los múltiplos de cada uno de estos números.

Los múltiplos de 5 son: 5, 10, 15, 20, 25, 30, 35, 40, ...
Los múltiplos de 6 son: 6, 12, 18, 24, 30, 36, 42, ...

Y se identifica el número menor que es común en ambas listas.

El mcm de *5* y *6* es *30*

40

El producto es más pequeño

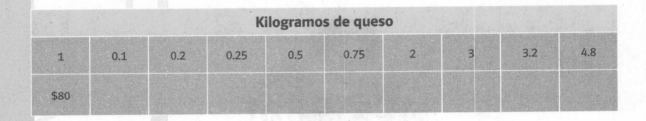

Lo que conozco. Completa las tablas y verifica tus respuestas con otro compañero.

Kilogramos de jamón					
1	$\frac{3}{4}$	$\frac{1}{2}$	$\frac{1}{4}$	$\frac{1}{5}$	$\frac{1}{8}$
$120					

Kilogramos de queso									
1	0.1	0.2	0.25	0.5	0.75	2	3	3.2	4.8
$80									

1. En parejas, completen la tabla.

El equipo de caminata de la escuela da vueltas en un circuito de 2 kilómetros. Registren en kilómetros el recorrido de cada uno de los integrantes.

Nombre	Rosa	Juan	Pedro	Víctor	Silvio	Érick	Irma	Adriana	Luis	María
Vueltas	1	2	$\frac{1}{2}$	$\frac{3}{4}$	$\frac{1}{4}$	$\frac{23}{7}$	0.75	1.25	1.3	2.6
km										

2. Resuelvan los problemas siguientes.

a) El papá de Raúl necesita saber cuál es la longitud en centímetros de una varilla de 12 pulgadas.

_____

b) La mamá de Celia trabaja en un restaurante; para preparar un guisado necesita comprar $1\frac{3}{4}$ kg de jamón. Si el $\frac{1}{2}$ kg cuesta $45, ¿cuánto tendrá que pagar? _____

c) Rosa compró 0.75 kg de frijol que cuesta $35.00 el kg. ¿Cuánto pagó? _____

d) Doña Luisa tiene un terreno que mide $\frac{1}{2}$ km de ancho y $1\frac{1}{2}$ km de largo, donde sembrará hortalizas. Para saber cuánto comprar de semillas y fertilizantes debe conocer el área de su terreno, ¿cuál es el área del terreno? _____

e) Guadalupe fue a la mercería a comprar 5.5 m de encaje blanco que necesitaba para la clase de costura; si cada metro costaba $5.60, ¿cuánto pagó por todo el encaje? _____

También pidió 4.75 metros de cinta azul que le encargó su mamá. Si el metro costaba $8.80 y su mamá le dio $40.00, ¿pudo comprar toda la cinta? _____

¿Por qué? _____
_____
_____
_____

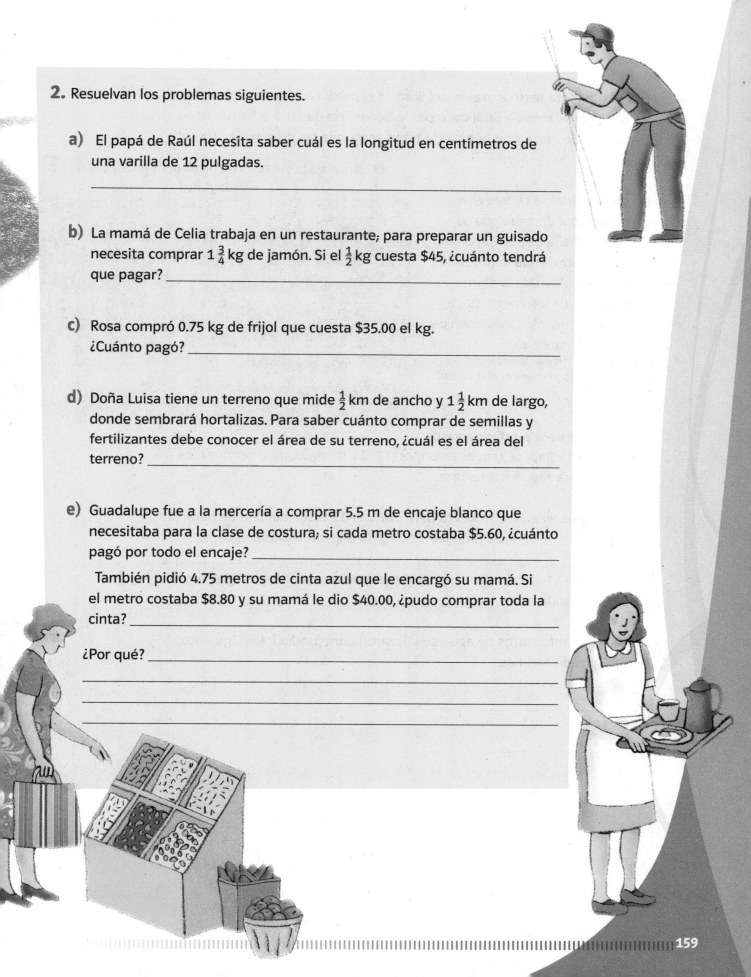

3. Lee el siguiente texto extraído del libro *¿Y el medio ambiente? Problemas en México y el mundo*, publicado por la Secretaría de Medio Ambiente y Recursos Naturales. Con base en la tabla, responde las preguntas que se plantean.

"El agua virtual se refiere a la cantidad total de agua que se requiere para la obtención de un producto, incluyendo la utilizada durante el cultivo de la planta, el crecimiento de los animales, su procesamiento y la fabricación de productos industriales."

Fuente: Semarnat, *¿Y el medio ambiente? Problemas en México y el mundo?*, México, 2007, p. 113.

¿Cuánta agua virtual se utilizó para hacer posible tu desayuno?	
	Litros de agua virtual
1 vaso de jugo de naranja (200 ml)	170
1 plato de papaya (200 g)	62
2 huevos revueltos (80 g)	270
Jamón (30 g)	260
3 tortillas de maíz (75 g)	150
1 vaso de leche (200 m)	200
1 vaso de leche con chocolate (15 g)	256
Total	1368

Por ejemplo, para producir 1 vaso de jugo de naranja se requieren en total 170 L de agua, para sembrar los naranjos, para regarlos, etcétera.

¿Cuánta agua virtual se necesita para obtener 12 vasos de jugo de naranja? _____ Para producir 2 000 g de papaya, ¿cuánta agua se requirió? _____
Se utilizaron 1 040 L de agua para obtener huevos, ¿cuántos kilogramos de huevo se produjeron? _____

Contesta cuántos litros de agua se utilizaron para producir los siguientes kilogramos de tortillas:

$\frac{1}{2}$ _____

$\frac{3}{4}$ _____

1.5 _____

2.25 _____

5.3 _____

4. En parejas, respondan las preguntas.

❖ Elizabeth dice que 10 km caben 8 veces en 80 km.
Por lo tanto, 10 km son $\frac{1}{8}$ de 80 km. _____

¿Qué fracción de 80 km son 20 km? _____

¿Qué fracción de 80 km son 40 km? _____

¿Qué fracción de 80 km son 16 km? _____

❖ Lourdes asegura que 15 kg son $\frac{1}{8}$ de 120 kg. ¿Es correcto lo
que afirma? _____

¿Cuántas veces caben 15 kg en 120 kg? _____

¿Qué fracción de 120 kg es 30 kg? _____

¿Qué fracción de 120 kg es 40 kg? _____

¿Qué fracción de 120 kg es 90 g? _____

¿Cuántos kilogramos son $\frac{7}{15}$ de 120 kg? _____

RETO Completa la tabla y contesta las preguntas.

Cantidades	Fracción				
	$\frac{1}{2}$	$\frac{1}{3}$	$\frac{1}{4}$	$\frac{1}{5}$	$\frac{1}{8}$
60 g					
300 m					
450 in					
$3 000					
5 400 oz					

¿Cuánto es la mitad de $\frac{1}{8}$? _____

¿Cuánto es $\frac{2}{3}$ de $3 000? _____

¿Cuánto es $\frac{3}{4}$ de 60 g? _____

¿Cuánto serán $\frac{5}{8}$ de 300 m? _____

¿Cuánto es $\frac{5}{8}$ de 5 400 oz? _____

¿Cuánto será $\frac{7}{12}$ de 450 in? _____

41

¿Cuántos cubos hay en el prisma?

Lo que conozco. Observa los prismas y contesta las preguntas.

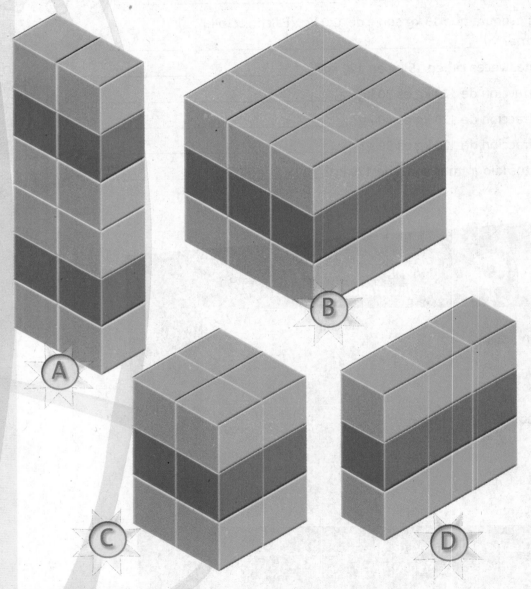

* De los prismas, ¿cuáles tienen el mismo volumen? _____

* ¿Cuántos cubos más se necesitan para que el prisma C tenga el mismo
  volumen que el B? _____

1. En equipos, completen los prismas y obtengan su volumen. Consideren cada cubo pequeño como unidad de medida. Posteriormente, contesten lo que se pide.

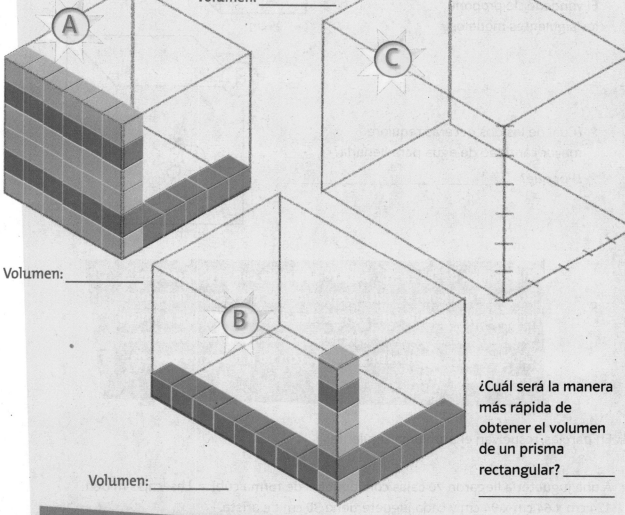

Volumen: _____

Volumen: _____

Volumen: _____

Volumen: _____

¿Cuál será la manera más rápida de obtener el volumen de un prisma rectangular? _____
_____

RETO Completa la tabla siguiente.

Ancho	Largo	Altura	Volumen
4	6	9	
4	7	10	
7	10		350
	8	8	192

3. Resuelve el problema siguiente.

Juan quiere colocar una pecera
en la sala de su casa.
El vendedor le propone
los siguientes modelos:

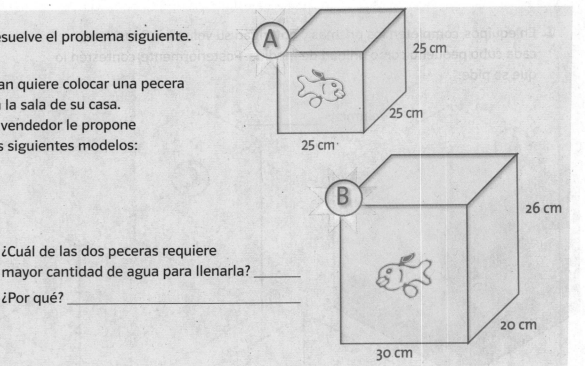

A — 25 cm, 25 cm, 25 cm

B — 26 cm, 20 cm, 30 cm

❖ ¿Cuál de las dos peceras requiere
mayor cantidad de agua para llenarla? _____

❖ ¿Por qué? _____

> El volumen de un cuerpo está relacionado con el espacio que
> ocupa. El volumen se calcula en unidades cúbicas, se llaman así
> porque en el cálculo intervienen tres dimensiones (largo, ancho
> y altura); así, se pueden tener metros cúbicos (m^3), decímetros
> cúbicos (dm^3), centímetros cúbicos (cm^3) o milímetros cúbicos
> (mm^3), entre otros.

4. En parejas, resuelvan el problema siguiente:

A una juguetería llegaron 70 cajas con juguetes de forma cúbica. Las cajas miden
124 cm x 64 cm x 94 cm y cada juguete tiene 30 cm de arista.
¿Cuántos juguetes llegaron a la juguetería? _____
Si las 70 cajas acomodadas forman un prisma rectangular, ¿cuántas cajas fueron
acomodadas a lo ancho? _____ ¿Cuántas de fondo? _____ ¿Cuántas
de altura? _____

Consulta en...

http://www.thatquiz.org/es/practice.html?geometry
En esta página podrás poner en práctica lo aprendido en la lección al calcular el
volumen de distintos cuerpos geométricos

42

El decímetro cúbico

Lo que conozco.

❖ El siguiente recipiente mide
10 cm por lado. ¿Cuántos
centímetros cúbicos caben en
este recipiente? _____

_____

_____

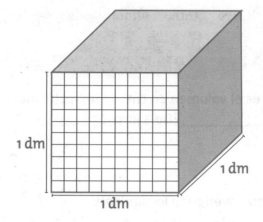

1 dm

1 dm

1 dm

1. En parejas realicen lo que se indica.

❖ Lleven al salón de clases empaques de cartón vacíos de 1 y 2 litros
(pueden ser de leche, jugo, etcétera). Pidan a sus papás que con tijeras
retiren la cara superior del empaque. También necesitan un recipiente
graduado en litros (por ejemplo, un vaso de plástico de licuadora).

❖ Llenen con agua el recipiente graduado hasta la marca de un litro;
vacíen el contenido del recipiente en el envase de un litro y marquen
la altura hasta donde llegó el agua en el envase. Efectúen la misma
operación con el envase de dos litros. Cuando terminen el ejercicio,
uno de ustedes vacíe el agua en alguna planta o cubeta para que no se
desperdicie.

❖ Midan el largo, el ancho y el alto de los empaques
de cartón de 1 y 2 litros. Cerciórense de que las
medidas que obtuvieron de los empaques hayan
sido tomadas como lo muestra la ilustración.

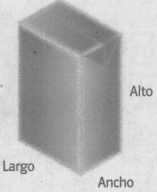

Alto

Largo

Ancho

❖ Con las medidas que obtuvieron completen la tabla y contesten las preguntas siguientes:

Empaque	Dimensiones en centímetros				Dimensiones en decímetros			
	Largo	Ancho	Altura	Volumen	Largo	Ancho	Altura	Volumen
1 L								
2 L								

¿Cuál es el volumen en cm³ de un recipiente de 2 litros?

_____ ¿De 3 litros? _____ ¿Y de 4 litros? _____

2. En equipos, averigüen lo siguiente.

❖ ¿Cuántos litros de agua caben en un decímetro cúbico? _____

❖ ¿Cuántos centímetros cúbicos son equivalentes a un litro? _____

❖ ¿Cuántos decímetros cúbicos equivalen a un litro? _____

❖ ¿Cuántos mililitros (mL) son equivalentes a un litro? _____

❖ ¿Por qué un centímetro cúbico es equivalente a un mililitro? _____

❖ ¿A cuántos litros equivale un metro cúbico de agua? _____

3. Completa la tabla de equivalencias.

	L	mL	dm³	cm³
1 L				
3 L				
4 950 mL				
897 cm³				
1.75 L				
1.3 dm³				

RETO

En parejas, con la información de la tabla resuelvan los problemas.

Unidades	Valor	Definición
Barriles (estadounidenses)	158.9873 litros (aproximadamente)	Medida de capacidad utilizada en la industria del petróleo.
Barriles (británicos)	159.1131 litros	
Quintal	46.0396 kilogramos (aproximadamente)	Es una antigua unidad de masa española.
Quilate de orfebrería	4.167% de la masa total (aproximadamente)	Cada una de las veinticuatroavas partes en peso de oro puro que contiene cualquier aleación de este metal, y que a su vez se divide en cuatro granos.

a) En el año 2010 la producción del yacimiento de Cantarell fue de 47 500 barriles estadounidenses de petróleo por hora. ¿Cuántos litros de petróleo se produjeron por día? _____

Si se calcula en barriles británicos, ¿cuántos litros de petróleo se produjeron por día? _____

b) Rosalba compró 15 bultos de azúcar, cada uno de 50 kg. ¿Cuántos quintales de azúcar compró? _____

c) Abraham tiene una cadena de 10 quilates de oro que pesa 180 gramos. ¿Cuántos gramos de oro puro contiene la cadena? _____

Resuelve problemas que involucren constantes de proporcionalidad particulares y unidades de medida diferentes.

43

Más
proporciones

Lo que conozco. Para fabricar la cabeza de un oso de peluche se requieren 3.6 m de hilo para unir las piezas que la forman. Completa la siguiente tabla.

Cabezas de oso	1	$\frac{1}{2}$	$2\frac{2}{3}$		$\frac{5}{6}$		0.25
Hilo	3.6 m			4 m		9 m	

1. Localiza los puntos: A (1, 1), B (3, 1), C (3, 4), D (6, 1), E (8, 1), F (4, 5), G (7, 10), H (5, 10), I (3, 6), J (3, 10) y K (1, 10) en el plano cartesiano. Une A con B, B con C, y así sucesivamente hasta cerrar la figura.

❖ ¿Cuántos lados tiene la figura que se formó? _____

❖ ¿Cuántas unidades mide el segmento IJ? _____

❖ Mide el perímetro de la figura que se formó _____

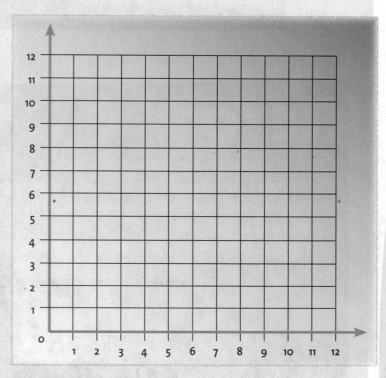

2. En tu cuaderno, reproduce la figura de la actividad anterior, de modo que el segmento IJ mida 15 cm y completa la tabla.

Segmento	Figura 1	Figura 2	Segmento	Figura 1	Figura 2
AB			FG		
BC			GH		
CD			HI		
DE			IJ		15 cm
EF			KA		

❖ Por cada cm que mide un lado de la figura 1, ¿cuántos centímetros mide su lado correspondiente en la figura 2?

_____

❖ ¿Cuál fue la constante de proporcionalidad empleada para que IJ midiera 15 cm en la figura 2? _____

Las escalas se emplean para representar en un mapa o plano un objeto en las dimensiones convenientes para que sea fácil visualizarlo.

RETO

En tu cuaderno realiza la siguiente actividad.

Cuadruplica las dimensiones de la siguiente fotografía y llama a esa imagen A; luego reduce las dimensiones de la fotografía original a la mitad y esa será la imagen B.

¿Qué relación hay entre la imagen A y la imagen B?

3 cm

5 cm

Cuando la relación que existe entre dos magnitudes siempre es la misma se le llama *constante de proporcionalidad*.

Dato interesante

La escala es la constante de proporcionalidad entre las dimensiones de dos objetos semejantes.

44

¿Cómo saber si dos **cantidades** variables son **proporcionales?**

Lo que conozco. Resuelve el siguiente problema.

❖ Rosa compró 3 kg de tortillas y pagó 24 pesos. Felipe pagó 5 pesos por sus tortillas, ¿cuántos kilogramos compró? _____ Regina pidió 1.25 kg, ¿cuánto deberá pagar? _____

1. En equipos, utilicen la información de la tabla siguiente para contestar las preguntas.

En la tabla se incluyen los puntos que reciben los alumnos de acuerdo con el número de tareas realizadas.

❖ Localicen en la primera columna las parejas de valores en las que uno sea el doble del otro, el triple, etcétera, y compárenlas con los correspondientes de la segunda columna. ¿Qué observan? _____
_____

❖ Sumen dos valores cualesquiera de una columna y anoten el resultado; ahora hagan lo mismo con los valores correspondientes de la otra columna. Los resultados ¿están en la misma proporción que los valores de la tabla? _____
Verifiquen lo anterior con otros valores y lleguen a una conclusión. _____
_____

Tareas	Puntos
3	6
5	10
8	16
9	18
12	24
15	30
20	40
25	50
50	100

❖ Dividan dos valores de la segunda columna entre sus correspondientes de la primera ¿Cómo son los resultados obtenidos? _____

¿Sucederá lo mismo con todas las demás parejas de la tabla? _____ Verifíquenlo. ¿Cuál es su conclusión?

_____

_____

_____

_____

❖ ¿Existe un factor constante de proporcionalidad?

_____ De ser así, ¿cuál es? _____

_____

_____

_____

_____

❖ Tomen dos parejas de valores correspondientes y multipliquen en cruz. Por ejemplo:

12	24	=	360
15	30	=	360

❖ ¿Cómo son los valores que obtuvieron? _____

¿Sucederá lo mismo con cualquier par de valores correspondientes? ____

¿Qué conclusión obtienen? _____

_____

_____

_____

2. En equipos analicen las siguientes situaciones y registren en la tabla con una (✔) o una (✘) el cumplimiento o no de las propiedades que se enuncian.

Tabla A	
Número de brochas compradas	**Costo en pesos**
1	15
2	75
3	30
4	45
5	60

Tabla B	
Edad de un hijo en años	**Edad de su mamá en años**
1	25
5	29
8	32
15	39
20	44

Tabla C	
Medida del lado de un cuadrado (cm)	**Área del cuadrado (cm²)**
3	9
6	36
9	81
12	144
15	225

Tabla D	
Medida del lado de un cuadrado (cm)	**Valor de su perímetro (cm)**
3	12
6	24
9	36
12	48
15	60

Propiedades	Tabla A	Tabla B	Tabla C	Tabla D
Conservación de los factores internos. Al doble le corresponde el doble, al triple le corresponde el triple, etcétera.				
Aditividad. A la suma de dos cantidades cualesquiera en una columna le corresponde la suma de sus equivalentes en la otra columna.				
Valor unitario. Es el valor de la unidad que se obtiene de un par de valores. Y sin importar qué par de valores se tomen siempre es el mismo .				
Factor constante de proporcionalidad. Existe un número entero o fraccionario que al multiplicarse por cualquier valor de la primera magnitud se obtiene el valor correspondiente de la segunda magnitud.				
Productos cruzados. Al multiplicar en cruz dos pares de cantidades correspondientes se obtiene el mismo resultado.				

¿Qué tablas corresponden a una relación de proporcionalidad? _____

3. Con base en la propiedad de proporcionalidad que se indica en cada inciso analiza y determina si la información contenida en las siguientes tablas es proporcional. Si es proporcional encierra la tabla en color azul; si no lo es, enciérrela en color rojo.

a) Aditividad

Distancia en pies	Distancia en pulgadas
1	12
2	24
3	36
4	48
5	60
6	72

Longitud	Volumen del cubo
1	1
2	8
3	27
4	64
5	125
6	216

b) Valor unitario

Concentrado (mililitros)	Agua (litros)
2.375 m	2.5 L
5.75 m	5 L
9.41 m	9.4 L

Tortillas (kg)	Precio
7.2 kg	$79.20
9.5	$104.50
10.7	$117.70

❖ ¿Cuántos mililitros de concentrado se requieren para preparar un litro de agua? _____

¿Cuál es el precio de un kilogramo de tortillas? _____

c) Constante de proporciónalidad

Precio	Litros
$23.00	2.5
$57.50	5
$108.10	9.4

Precio	Listón (metros)
$23.00	5
$57.50	10
$108.10	29

d) Productos cruzados

Pulgadas	Milímetros
5	127
9	228.6
12.5	317.5

Cantidad de limones	Masa (gramos)
3	72
$8\frac{1}{2}$	204
$13\frac{1}{4}$	318

4. En parejas, comprueben si hay proporcionalidad en cada uno de los siguientes problemas y escriban la constante de proporcionalidad.

❖ Óscar pagó por 4.2 m de listón $63.00 e Isaac pagó $123.75 por 8.25 m.

_____

❖ Juan recorre a pie 12 m, mientras que Raúl recorre en su bicicleta 40.2 m; cuando Juan recorre 24 m, Raúl recorre 80.4 m.

_____

❖ Las medidas de dos circunferencias son: 10.9956 cm y 28.2744 cm; los correspondientes diámetros son: 3.5 cm y 9 cm. _____

❖ Alberto es empacador y por 4.5 horas de trabajo le pagaron $270; Roberto, que trabaja en la misma empresa con el mismo puesto, por 7 horas recibió $420. _____

❖ Rogelio afirma que en 5 m hay 5 000 mm; Rubén asevera que en 5.6 m hay 560 cm y Patricia dice que en 5.55 m hay 55.5 dm. _____

45

Más experimentos de probabilidad

Lo que conozco. Toma como base la tabla de los dados del bloque anterior y contesta las preguntas.

❖ ¿Cuál es la probabilidad de que al lanzar dos dados la suma de sus puntos sea 7? _____

¿Sea mayor que 9? _____

¿Sea igual a un número par? _____

¿Sea un número par mayor que 5? _____

1. En parejas, realicen las actividades siguientes.

❖ El juego de los volados consiste en lanzar una moneda al aire y predecir el resultado (águila o sol).

a) ¿Cuál es la probabilidad de que caiga águila? _____

b) ¿Cuál es la probabilidad de que caiga sol? _____

❖ Lancen 20 veces una moneda y registren sus resultados en la siguiente tabla:

Tiradas	1	2	3	4	5	6	7	8	9	10	11	12	13	14	15	16	17	18	19	20	Total
Sol																					
Águila																					

¿Cuántas águilas cayeron? _____

Escriban el cociente del número de águilas entre el total de volados. _____

¿Qué relación hay entre el cociente anterior y la probabilidad del inciso a? _____

❖ En el pizarrón, elaboren una tabla para registrar los resultados de todas las parejas del grupo. Escriban los resultados en la siguiente tabla:

Tiradas	1	2	3	4	5	6	7	8	9	10	11	12	13	14	15	16	17	18	19	20	Total
Sol																					
Águila																					

¿Cuántas águilas cayeron en total? _____

Escriban el cociente del número de águilas entre el total de volados. _____

¿Qué relación observan entre el cociente que obtuvieron en pareja y en el grupo, respecto a la probabilidad del inciso a? _____

Todos lancen una moneda y anoten cuántas águilas y cuántos soles salieron. Dividan eso entre el número de alumnos que lanzaron las monedas. Repitan esto 3 veces y sumen los resultados de las 4 divisiones.

¿Qué número obtienen? _____ ¿Se aproxima a $\frac{1}{2}$? _____

2. Formen 6 equipos, cada uno lance 50 veces un dado y registre los resultados obtenidos en la tabla siguiente.

Equipo	Cantidad de veces que cayó.					
	1	2	3	4	5	6
1						
2						
3						
4						
5						
6						
Total						

¿Cuántos lanzamientos realizaron en total todos los equipos? _____

¿Cuál es el total de veces que cayó el 1? _____

La probabilidad teórica de que al lanzar un dado caiga 1 es $\frac{1}{6}$.

¿Cuál fue la probabilidad de que cayera 1 en el experimento realizado? _____

La probabilidad teórica de lanzar un dado y que caiga un número mayor de 4 es $\frac{2}{6}$.

En su experimento, ¿cuál fue la probabilidad de que cayeran las caras con más de 4 puntos? _____

3. Resuelve los problemas.

a) En una bolsa se metieron cuatro tarjetas de diferente color. Se sacaban las tarjetas de una en una siempre regresándola antes de sacar la otra. Los resultados se registraron en la tabla siguiente.

Color	Azul	Verde	Amarilla	Negra
Cantidad de veces que se extrajo la tarjeta	188	202	199	211

❖ ¿Cuántas veces se sacaron las tarjetas en total? _____

❖ ¿De qué color es la tarjeta que tiene 26.37% de probabilidad de salir en este experimento? _____

❖ La probabilidad teórica de sacar cualquiera de las 4 tarjetas es 25%. Si la diferencia de la probabilidad teórica menos la del experimento realizado es igual a 1.5%, ¿cuál es el color de la tarjeta que cumple esta condición? _____

b) Se lanzaron 2 dados al aire y los resultados se organizaron como muestra en la siguiente tabla.

Cantidad de puntos que suman los dados	Menores que 7	Igual a 7	Mayores que 7
Números de lanzamientos	450	180	370

❖ ¿Cuántos lanzamientos se realizaron en total? _____

La probabilidad teórica de que al lanzar dos dados la suma sea 7 es $\frac{6}{36}$, o lo que es lo mismo, 16.67 por ciento.

❖ En el experimento anterior, ¿cuál fue la probabilidad de que la suma sea igual a 7? ____

La probabilidad teórica de que al lanzar los dos dados sumen menos que 7 es $\frac{15}{36}$, o bien 41.66%, la misma que si la suma es mayor que 7.

❖ La diferencia entre la probabilidad teórica y la obtenida en el experimento es 3.34%. ¿Cuál de los tres grupos tiene esta condición? _____

La *probabilidad de ocurrencia de un experimento* se obtiene calculando el cociente de la cantidad del evento que se quiere analizar entre el total de repeticiones (lanzamientos, volados, extracciones de objetos de una urna, etc.). Al multiplicar el resultado por 100, la probabilidad se expresa en forma de porcentaje.

Por ejemplo, en un experimento se lanzó una moneda 300 veces, de las cuales 165 cayeron águila. Entonces la probabilidad de ocurrencia en este experimento, de que al lanzar una moneda caiga águila, es:

$$\frac{165}{300} = 0.55$$

Por lo tanto, 0.55 x 100 = 55%

En este experimento, la probabilidad de ocurrencia de obtener como resultado águila al lanzar una moneda es 55 por ciento.

Consulta en...

En la siguiente página encontrarán una ruleta con la cual podrán explorar otro experimento aleatorio. En equipos, prueben las posibilidades que brinda el botón Cambiar ruleta y calculen la probabilidad de ocurrencia que tiene cada una de las secciones de la ruleta que ustedes inventen.
http://nlvm.usu.edu/es/nav/frames_asid_186_g_3_t_5.html?open=activities&from=category_g_3_t_5.html

En la siguiente página encontrarán más opciones para continuar aplicando la probabilidad clásica y frecuencia
http://efit-emat.dgme.sep.gob.mx/emat/ematactividades.htm
Elijan, por ejemplo, la actividad Jugando con dados de tres caras.

46 ¿Cómo lo organizo?

Lo que conozco. Con la siguiente información, completa la tabla y contesta las preguntas.

❖ Felipe tiene 5 años, mide 98 cm y pesa 19 kg; Fernanda pesa 20 kg, mide 100 cm y tiene 7 años; Julio mide 102 cm, tiene 7 años y pesa 21 kg; Alicia tiene 6 años, pesa 19.5 kg y mide 96 cm.

Nombre	Edad	Estatura (centímetros)	Peso
		96	
	5		
Fernanda			20
	7		

¿Están ordenados los datos como se presentaron en el enunciado? _____

¿Cómo se ordenaron los datos? _____

¿Qué se tomó en cuenta para completar la tabla? _____

Dato interesante

Se tiene registrado que desde el año 1 500 d.C. han desaparecido 85 especies de plantas de su ambiente en todo el mundo, mientras que en México se han extinguido cuatro especies de plantas. Leea la información siguiente.

1. Lee la información siguiente.

El número de especies de animales extintos son: 80 peces en el mundo y 11 en México; aves 135 y 19; mamíferos, 70 y 7; anfibios 34 y no hay datos disponibles en México (ND); reptiles 22 y ND. Esta información aparece en el libro: *¿Y el medio ambiente? Problemas en México y el mundo*, editado por la Semarnat.

Fuente: Semarnat, *¿Y el medio ambiente? Problemas en México y el mundo*, México, 2007, p. 52.

Construye una tabla donde organices la información de especies de animales extintos.

¿En qué caso, respecto a la extinción de especies en el mundo, la proporción en México es mayor? _____
_____
_____
_____
_____

2. Organizados en equipos, resuelvan los problemas siguientes.

a) El profesor de Educación Física realizó un estudio en su grupo para conocer la energía de algunos de sus alumnos (medida en kilocalorías). Completen la información de la tabla donde se registra la cantidad de nutrientes obtenidos en una comida (medidos en gramos) y las kilocalorías producidas en dos de sus alumnos. Consideren que 1 g de proteínas produce 4 kilocalorías, 1 g de grasa produce 9 kilocalorías y 1 g de carbohidratos produce 4 kilocalorías.

Alumno	Dato y Unidad de medida	Nutrientes			Total
		Proteínas	Grasas	Carbohidratos	
Luis	Nutrientes obtenidos, gramos (g)	40			150
	Kilocalorías producidas (kca)		450		
Antonio	Nutrimentos obtenidos, gramos (g)		45		
	Kilocalorías obtenidas (kca)	200		280	

b) Esteban es otro alumno del grupo; ese día consumió en sus alimentos 55 g de proteínas, 60 g de grasas y algunos carbohidratos. Con estos nutrientes obtuvo en total 940 kilocalorías. Amplíen la tabla anterior agregando los renglones o columnas que se necesiten; incorporen esta información y busquen la que falta para saber la cantidad total de nutrientes y kilocalorías obtenidas por Esteban.

Con la información anterior respondan las preguntas.

❖ ¿Cuál de los tres alumnos consumió la mayor cantidad de nutrientes en gramos? _____

❖ ¿Cuál de los tres alumnos obtuvo la mayor cantidad de kilocalorías con los nutrientes consumidos? _____

❖ El alumno que obtuvo la mayor cantidad de kilocalorías ¿fue el que consumió la mayor cantidad de nutrientes en gramos? _____ ¿Por qué? _____

3. En equipos, cada uno de los integrantes proporcione la información que se solicita, organícenla en una tabla y respondan la pregunta.

a) Nombre
b) Edad
c) Estatura
d) Diestros o zurdos

Si en tu escuela quisieran comprar bancas que tengan la paleta unida a la silla, ¿cuántas bancas con la paleta del lado izquierdo debe haber?_____

4. En equipos, realicen lo que se indica.

En un torneo de futbol infantil, el Grupo II estuvo formado por los equipos de Alemania, Túnez, España y Brasil; estos equipos jugaron 3 partidos entre sí para definir al ganador del grupo. Alemania ganó un juego, empató otro y perdió el tercero, anotó 4 goles en total y le anotaron 3.
Túnez empató un juego y perdió 2, anotó 4 goles y le anotaron 7. España empató los tres encuentros que sostuvo, anotó 4 goles y recibió la misma cantidad. Brasil ganó dos partidos y empató uno, anotando 6 goles y recibiendo 4 en total.
Representen en una tabla los datos del texto y contesten las preguntas.

Por cada juego ganado se asignan 3 puntos al equipo triunfador y 0 puntos al perdedor; a los equipos que empatan se les asigna un punto.

❖ ¿Qué equipo obtuvo más puntos? _____

❖ ¿Qué equipo metió más goles? _____

❖ ¿Qué equipo fue el más goleado? _____

❖ Si a la siguiente fase pasaron los dos equipos con más puntos, ¿qué equipos calificaron? _____

Ahora aplicarás los conocimientos construidos en el bloque. Resuelve los problemas siguientes.

1. Armando tiene un restaurante y organiza sus actividades y gastos en la siguiente tabla.

Concepto	Días que transcurren entre un pago y otro.	Monto
Compra de carne	5	$1 500
Compra de vegetales	8	$1 200
Gas	10	$1 000
Compra de abarrotes	12	$1 800
Sueldos	15	$2 000
Renta	30	$4 000

a) El día 1 de marzo compró abarrotes y gas, y pagó sueldos. ¿Dentro de cuantos días será la próxima vez que en el mismo día pagará sueldos y comprará abarrotes?_____

b) Si Armando organiza su información de menor a mayor monto, ¿cómo quedaría organizada la columna "concepto"?

_____, _____, _____, _____,

_____ y _____.

c) Observa la fila de sueldos y renta: Armando dice que son proporcionales. Comprueba por cualquiera de las propiedades que conoces si éstos son o no proporcionales. ¿Son proporcionales? _____ ¿Por qué? _____

_____

_____

_____

2. Armando depositó 5 tarjetas de diferente color en una urna. Él extraía una tarjeta de la urna y la regresaba, antes de sacar otra. Además registro los resultados en la siguiente tabla.

En este experimento, ¿cuál es la probabilidad de extraer una tarjeta de color verde? _____

Color de la tarjeta	Azul	Rojo	Verde	Amarillo	Rosa
Número de veces que extrajo la tarjeta	190	205	195	208	202

A continuación resolverás problemas en los que aplicarás los conocimientos aprendidos en el bloque.

Instrucciones. Encierra la letra que corresponda a la respuesta correcta.

1. Tres comerciantes se encontraron el 1 de agosto en la ciudad en donde compran su mercancía. Si el primero va a la ciudad cada 15 días, el segundo la visita cada 8 días y el tercero acude cada 3 días, ¿cuándo volverán a coincidir en el mismo año?

   a) 30 de noviembre

   b) 29 de noviembre

   c) 31 de noviembre

   d) 1 de diciembre

2. Una motocicleta recorre 55 kilómetros en media hora y quiere recorrer 330 kilómetros. Si conserva la misma velocidad, ¿en cuánto tiempo los recorrerá?

   a) 1 hora

   b) $1\frac{1}{2}$ horas

   c) 2 horas

   d) 3 horas

3. Se lanzó un dado 300 veces. La tabla siguiente muestra los resultados obtenidos.

Número	1	2	3	4	5	6
Veces que cayó el número	39	54	43	60	57	47

   Tras realizar el experimento, ¿cuál fue la probabilidad de obtener un 4?

   a) 5%   **b)** 10%   **c)** 20%   **d)** 30%

4. A Karina sus papás le dan $70 para los gastos de la semana y ella los distribuye para sus gastos diarios (pasajes, almuerzo y fruta). Utiliza 40% en pasajes, 35% en almuerzo y 17% en frutas; el resto lo ahorra. Ella organiza su información en una tabla. ¿Cuál de las siguientes tablas es?

a)

Pásajes	Almuerzo	fruta	Ahorro
$ 24.50	$ 11.90	$ 28.00	$ 5.60

b)

Pásajes	Almuerzo	fruta	Ahorro
$ 24.50	$ 5.60	$ 11.90	$ 28.00

c)

Pásajes	Almuerzo	fruta	Ahorro
$ 28.00	$ 24.50	$ 11.90	$ 5.60

d)

Pásajes	Almuerzo	fruta	Ahorro
$ 28.00	$ 5.60	$ 24.50	$ 11.90

Autoevaluación

En las casillas correspondientes, marca con una paloma ✔ lo que mejor refleje lo que piensas.

Contenidos procedimentales	Siempre lo hago	Lo hago a veces	Difícilmente lo hago
Resuelvo problemas diversos utilizando la unidad de medida que corresponda.			
Resuelvo problemas aplicando mi conocimiento sobre proporcionalidad.			
Resuelvo problemas calculando múltiplos y divisores.			
Interpreto información mediante tablas.			
Interpreto información mediante diagramas.			
Comparo probabilidades de ocurrencia de un evento simple.			

Contenidos actitudinales	Siempre lo hago	Lo hago a veces	Difícilmente lo hago
Respeto y valoro las costumbres y tradiciones de mis compañeros.			
Cuando trabajo en equipo, aprendo de mis compañeros.			
Cuando trabajo en equipo, efectúo mejor las cosas que si las llevo a cabo individualmente.			

Bibliografía

Ávila Storer, Alicia, *et al.*, *Guía del estudiante. Construcción del conocimiento matemático en la escuela. Antología básica*, México, UPN, 1994.

Brousseau, Guy, "Educación y didáctica de las matemáticas", *Educación matemática*, México, Grupo Editorial Iberoamérica, 2000, vol. 12 (1), pp. 5-37.

Cantoral, Ricardo, *et al.*, *Desarrollo del pensamiento matemático*, México, Trillas, 2005.

Casanova, María Antonia, *La evaluación educativa. Escuela básica*, México, SEP, 1998 (Biblioteca del Normalista).

Chamorro, María del Carmen, *et al.*, *Didáctica de las matemáticas*, Madrid, Pearson Educación, 2003.

López Frías, Blanca Silvia y Elsa María Hinojosa Kleen, *Evaluación del aprendizaje*, México, Trillas, 2001.

García Juárez, Marco Antonio, *et al.*, *Matemáticas. Quinto grado. Guía de orientaciones didácticas*, México, Esfinge, 1994.

Secretaría de Educación Pública, *Matemáticas. Quinto grado*, México, SEP, 1994.

——*Matemáticas. Primer grado*, México, SEP, 2006.

Secretaría de Medio Ambiente y Recursos Naturales, *¿Y el medio ambiente? Problemas en México y el mundo*, México, 2007.

Páginas de Internet

Matemáticas sin número: http://redescolar.ilce.edu.mx/redescolar2008/educontinua/mate/mate.htm

Matemáticas. Sexto grado se imprimió por
encargo de la Comisión Nacional de Libros
de Texto Gratuitos, en los talleres de
Litografía Magno Graf, S.A. de C.V.,
con domicilio en Calle E No. 6,
Parque Industrial Puebla 2000,
C.P. 72220, Puebla, Pue.,
en el mes de junio de 2011.
El tiro fue de 1´388,200 ejemplares.

Impreso en papel reciclado

¿Qué opinas de tu libro?

De acuerdo con tu opinión, marca con una paloma (✓) en el cuadro correspondiente la calificación que le otorgas a cada una de las afirmaciones que se hacen sobre este libro de texto.

Categorías	Mucho	Regular	Poco
Me gusta el libro.			
Me gusta la portada.			
El índice me brinda información que necesito.			
Entendí fácilmente el lenguaje utilizado.			
Me gustan las imágenes que aparecen en el libro.			
Las imágenes me ayudaron a comprender el tema tratado.			
Las instrucciones para realizar las actividades me resultaron fáciles de entender.			
Las actividades me animaron a trabajar en equipo.			
Las actividades me permitieron expresarme ante el grupo.			
Las actividades me exigieron buscar información que no aparecía en el libro.			
Las autoevaluaciones me permitieron reflexionar sobre lo que había aprendido.			

¿Qué le agregarías al libro? _____
_____

¿Qué le quitarías al libro? _____
_____

Escribe algún comentario que desees hacer acerca del libro.
_____
_____
_____

SEP

DIRECCIÓN GENERAL DE MATERIALES EDUCATIVOS

Dirección de Desarrollo e Innovación de Materiales Educativos
Viaducto Río de la Piedad 507, cuarto piso,
Granjas México, Iztacalco,
08400, México, D. F.

Datos generales

Entidad: _____

Escuela: _____

Turno: Matutino ☐ . Vespertino ☐   Escuela de tiempo completo ☐

Nombre del alumno: _____

_____

Domicilio del alumno: _____

_____

Grado: _____